MENINAS QUE ESCREVEM
MENINAS QUE ESCREVEM
MENINAS QUE ESCREVEM

ORGANIZAÇÃO CLUBE NÓS MARIAS

jandaíra

Copyright © 2020 Clube Nós Marias (org.)

Todos os direitos reservados à Editora Jandaíra, uma marca da Pólen Produção Editorial Ldta., e protegidos pela lei 9.610, de 19.2.1998.
É proibida a reprodução total ou parcial sem a expressa anuência da editora.

Este livro foi revisado segundo o Novo Acordo Ortográfico da Língua Portuguesa.

DIREÇÃO EDITORIAL Lizandra Magon de Almeida

COORDENAÇÃO EDITORIAL Luana Balthazar

PRODUÇÃO EDITORIAL Mariana Oliveira

PREPARAÇÃO DE TEXTO Deborah Dornellas

REVISÃO Marcela Ramos

CAPA E PROJETO GRÁFICO Adriana Moreno

ILUSTRAÇÃO DE CAPA Júlia Correa

Maria Helena Ferreira Xavier da Silva/ Bibliotecária – CRB-7/5688

M545 Meninas que escrevem / [compilado por] Nós Marias.
— São Paulo : Jandaíra, 2020.
136 p. : il. ; 21 cm.
ISBN 978-65-87113-16-6

1. Ficção brasileira – Escritoras. 2. Literatura brasileira - Escritoras. 3. Mulheres e literatura - Brasil. 4. Habitações na literatura. I. Nós Marias. II. Título.

CDD B869.8

Número de Controle: 005

jandaíra

www.editorajandaira.com.br
atendimento@editorajandaira.com.br
(11) 3062-7909

Sumário

Apresentação, *Clube Nós Marias* 6

1. Por quê?, *de Anna Carolina Portela* 13
2. Efeito puerperal, *de Isabelle Cristine Condor da Silva* 15
3. Minha força, *de Jamille Figueiredo da Costa* 23
4. Vida de Maria, *de Tainá Amador Junqueira* 27
5. Borboletas, *de Camila Lima da Costa* 35
6. Era um dia especial, *de Karen Alessandra Amaral Silva* 43
7. Julgamentos, *de Linda Amanda Andrade da Silva* 47
8. Manifesto de cor e dor, *de Helena Callil Tomei* 49
9. Menina de ouro, *de Beatriz Araújo de Oliveira* 55
10. Solstício, *de Helena Garcia dos Santos Silva* 57
11. Expectativa, *de Tácila Fernanda Barboza Ventura* 61
12. A princesa e a pizza, *de Miriam Cavalcante Rodrigues* 65
13. Dandara, *de Maria Beatriz Alves da Silva* 71
14. Alice no país da sororidade, *de Luana Lira* 75
15. Ana Cecília, *de Ana Luiza Gonzaga do Carmo* 83
16. Adhara, *de Nicole Gabriela de Chagas* 101
17. Sororidade de uma noite de verão, *de Alice Silva dos Santos* 117

Apresentação

O *Meninas que Escrevem* começou a ser idealizado nos dias que antecederam o Dia da Menina de 2019, quando Letícia Bahia, a coordenadora do Girl Up Brasil, enviou uma mensagem no grupo das Líderes de Clube brasileiras contando que algumas pessoas estavam interessadas em publicar textos escritos por meninas na data que estava chegando. Foi um furdúncio! Várias garotas se manifestaram, na expectativa de serem publicadas. Mas a Letícia só tinha quatro contatos, e as líderes eram mais de quarenta; a matemática não batia.

Então a Luana, nossa líder, que sempre foi apaixonada por literatura, ficou com um questionamento na cabeça: quantas meninas escreviam lindamente pelo Brasil e tinham ainda menos chance de ser publicadas? Ela queria que mais meninas tivessem essa oportunidade, e foi assim que o primeiro indício do Meninas que Escrevem surgiu.

Alguns dias depois, aquele pensamento ainda rondava a cabeça da Luana, então ela decidiu que publicaria um livro com várias escritoras, meninas. Mas não poderia ser um romance... seria um livro de contos! Tendo esse projeto mais definido em mente, ela começou a enviar e-mails para várias editoras paulistas, mas ainda sem contar nada para ninguém do Clube, porque era uma ideia muito ambiciosa e tinha uma enorme chance de dar errado. Até que uma das editoras, a Jandaíra, respondeu que estava interessada no projeto e marcou uma conversa para entenderem tudo melhor.

    Luana surtou, e quando contou a novidade para as meninas do Clube, todas surtaram junto! Agora o projeto definitivamente estava nascendo e nós estávamos mais ansiosas que nunca. Quando marcamos a reunião com a editora, a Letícia também esteve presente, para garantir que ninguém ia passar a perna na gente. Afinal, não tínhamos nenhuma experiência no ramo editorial.

    Depois de uma semana, o encontro aconteceu, e foi perfeito! A editora concordou em bancar toda a produção, o desenvolvimento, o planejamento e tudo o mais que um livro precisa. Ninguém estava esperando por isso.

    Bom, o passo seguinte era conseguir os contos, porque afinal era disso que o livro seria feito, certo? Então, no dia 3 de dezembro de 2019, a seleção de contos promovida pelo Meninas que Escrevem começou. A notícia se espalhou rapidamente por todos os cantos do Brasil, e, dois meses depois, o resultado chegou: 261 inscrições de 25 estados da federação. Todas de meninas que compartilhavam do mesmo sonho que nós: publicar um livro. Selecionar os contos foi a parte mais difícil para nós. Havia tantos que eram tão bons, mas infelizmente não podíamos colocar todos no livro. Foi um sufoco! Depois de algumas semanas de muita leitura e muita discussão, os dezessete contos que mais se destacaram foram escolhidos. Mas o nosso trabalho estava longe de parar por aí. Como pretendíamos reunir todas as autoras em um encontro presencial para criarmos juntas a identidade visual do livro, precisávamos conversar com os responsáveis delas. Para isso, marcamos entrevistas com as meninas selecionadas e seus responsáveis.

As escolhidas não sabiam, mas aquelas entrevistas eram só uma formalidade para que os pais delas não pensassem que a gente era uma organização que queria traficar suas filhas (sim, ouvimos muito isso...) e para que elas ficassem mais tranquilas sobre o processo seletivo. No final, todos estavam mais calmos, e todo mundo saiu das entrevistas com uma nova experiência, principalmente a Luana, que assumiu o papel de entrevistadora e passou horas sendo bombardeada por perguntas, explicando projetos, tentando convencer os pais a deixarem as meninas fazerem uma viagem sozinha e, acima de tudo, tentando controlar o nervosismo.

Entrevistas feitas e cartas de aceitação enviadas em março, era a hora finalmente de todas se conhecerem! Tudo isso virtualmente, claro, porque nossas Meninas que Escrevem estão em cantos diferentes do Brasil. Nove estados, das cinco regiões, em cidades grandes e pequenas, do interior e do litoral — para sermos mais precisas. E esse encontro foi lindo, todas as expectativas depositadas nele foram superadas, ninguém tinha palavras para descrever o quanto foi especial.

Finalmente, iniciamos a produção do nosso livro. A gente continuou tendo reuniões presenciais na Jandaíra todos os meses, aprendemos também a melhor maneira de organizar os contos para concretizar tudo isso que vocês verão nas próximas páginas, que foi inteiramente feito por meninas (exceto a preparação de textos, a revisão e o projeto gráfico do livro. Quanto a isso, precisamos agradecer à nossa linda editora!).

Na mesma época, começamos a planejar o encontro presencial das meninas aqui em São Paulo para criarmos a identidade visual do livro em uma oficina, junto com uma ilustradora. Mas, bem, estamos falando de março de 2020, exatamente quando a pandemia começou. Nossos planos foram completamente esmagados!

Não tínhamos muita escolha além de deixar de lado o encontro presencial, mas as meninas estavam tão empolgadas para participar da criação da identidade visual do livro que precisamos propor uma nova ideia: fazer a oficina que ia acontecer presencialmente de forma online! Parecia perfeito.

Agora só faltava o dinheiro para pagar essa oficina, afinal, temos que apoiar os artistas. Então decidimos fazer um financiamento coletivo online. Nós sabíamos que, com uma campanha organizada, conseguiríamos alcançar o objetivo.

O planejamento para a campanha começou, mas então veio a questão: estávamos no meio de uma pandemia, vendo as desigualdades sociais ficarem cada vez mais aparentes, e pensamos que não podíamos ser egoístas a ponto de pedir dinheiro para uma oficina virtual enquanto pessoas morriam por falta de respiradores nos hospitais e de comida em casa. Mais uma vez, nossos planos foram esmagados, mas dessa vez nós mesmas decidimos desistir — porque, às vezes, esse é o certo a se fazer. Nesse caso, definitivamente era.

Se não podíamos mais nos encontrar na oficina, ficou claro que precisávamos fazer um esforço para manter nosso grupo de meninas unido. Afinal, a publicação do livro só seria em outubro, e até lá como manteríamos esse grupo ativo por meses a fio e ainda durante a quarentena? Bom, pedimos ajuda para as próprias envolvidas, e ideias incríveis surgiram: fazer saraus, reuniões mensais e criar um blog! Tudo isso tinha tanto a ver com o propósito inicial do Meninas que Escrevem que nós nos sentimos muito orgulhosas por termos feito as seleções das meninas certas para participarem do livro e do projeto em geral.

Todos esses planos começaram a ser concretizados, os saraus lindos aconteceram, os textos no blog emocionaram os leitores e precisávamos prosseguir com os passos seguintes, já que o lançamento se aproximava cada vez mais.

A correção dos textos até que foi simples. As meninas tinham histórias basicamente perfeitas, que precisavam de pouquíssimos acertos, o que foi realmente bom. Mas lembram que a gente não fez a oficina de identidade visual? Então... como seria feita a capa do livro? A Jandaíra nos deu a solução: pediu que as Meninas que Escrevem indicassem três garotas que ilustrassem para que uma delas fizesse nossa capa. Bom, a identidade visual não foi feita por nós, mas sim escolhida por nós, e depois de tantos altos e baixos por que passamos, isso bastava e muito. Principalmente depois de a Júlia ter sido selecionada para ser nossa ilustradora! Uma garota que, como nós, tem muito potencial.

Tudo estava andando perfeitamente, e víamos o sonho cada vez mais próximo de ser realizado. O projeto de miolo do livro e a capa ficaram prontos, e todas as meninas, tanto nós quanto as do Meninas que Escrevem, ficamos extremamente apaixonadas por tudo, nem dava para acreditar que era realidade.

Ninguém tem palavras para explicar como a criação e o desenvolvimento desse livro são especiais, foi tudo completamente interativo, integrativo, lindo, jovem e único. Também não temos palavras para agradecer todos que nos acompanharam nessa caminhada: todas as nossas integrantes, Letícia Bahia, Lizandra, Luana e Mariana da Editora Jandaíra, Júlia, Débora, Adriana, Meninas que Escrevem e os responsáveis delas. Vocês todos fizeram este livro ser possível, acreditaram no potencial de um Clube de meninas jovens que querem conquistar o mundo, e isso é inominável.

Também não podemos esquecer de agradecer a você, menina, que está lendo este livro agora. Esperamos de coração que ele emocione e inspire você a ser quem você quiser. Que alavanque você a mudar o mundo, porque você pode, porque nós acreditamos muito em você. Porque, se nós conseguimos, você também consegue!

Beijos e abraços,
Clube Nós Marias

\|/ ANNA CAROLINA PORTELA

1.
Por quê?

Quando atravesso o sinal vermelho, um fiat branco buzina, mas logo eu já estou na calçada.
Meus passos são tão rápidos quanto as batidas que sinto no peito, o sol de rachar aumenta a minha febre e faz subirem ondas de calor do asfalto.

Meia hora de atraso. Em parte aquilo havia sido planejado, pois não aguentaria chegar primeiro e ter que ficar esperando numa das mesas do restaurante; por outro lado, agora me encho de remorso e desejo quase correr, só que a distância é grande. Além disso, é difícil pensar enquanto se corre, e tenho muito sobre o que pensar.

O que eu vou dizer quando o vir? Farei a pergunta que esteve entalada na minha garganta por tanto tempo? Duas palavras que devem ser proferidas num tom de ódio, honrando todo o sofrimento vivido por mamãe. Mas não consigo sentir ódio, raiva ou indignação, só curiosidade e, lá no fundo, esperança.

Seria ele parecido comigo? Teria a mesma pequena mancha abaixo do olho direito? As fotografias lá em casa foram jogadas fora há muito tempo. Mamãe evita o assunto, quase chorou quando eu saí de casa hoje, se dependesse dela e do meu irmão, eu nunca saberia de nada. É a narrativa clássica, minha e de tantos outros. Quando nosso pai foi embora eu tinha um ano, meu irmão, cinco. Os motivos para esse abandono nunca foram esclarecidos, talvez uma amante, talvez um "espírito livre", como meu irmão, que tanto o despreza, também tem, sendo notoriamente incapaz de manter relacionamentos e empregos a longo prazo.

    A mensagem que recebi há exatas três semanas foi o que me deu esperança. Sempre quis ter uma irmãzinha, e foi ela quem procurou por mim e buscou uma forma de me reunir com aquele que é pai de nós duas. Em algum momento após ir embora, ele se tornou caminhoneiro e conheceu a mãe dela, só muito depois o passado foi desenterrado.

    Viro a esquina, uma vizinha ao passar acena e sorri para mim; eu aceno mas não consigo sorrir. Agora falta uma quadra para chegar ao restaurante, desacelero o passo e, quando restam poucos metros, paro. Tomei uma decisão, não vou fazer a pergunta; a resposta não me interessa e é melhor que fique tudo no passado. Quero falar que minha mãe foi ótima, contar que meu irmão, apesar de tudo, tem um coração enorme, que eu trabalhei por dois anos para juntar dinheiro e agora vou estudar Direito na capital.

    A distância que me separa da porta é rompida facilmente. Entro e olho em volta. O restaurante está vazio.

ISABELLE CRISTINE CONDOR DA SILVA

2.
Efeito puerperal

Desperto com os suplícios de meus tímpanos tentando evitar um som agudo que eu não consigo distinguir. Procuro em meu campo de visão algo que me traga respostas para cessar esse terrível barulho, mas falho. Meu corpo é invadido por uma sensação angustiante, sinto como se minha alma não me habitasse mais, como se eu fosse somente carne, osso e uma mente esvaída.

    Decido então arriscar meu primeiro movimento: me levanto da cama à procura do som estridente. Me deixo ser guiada pela sonoridade evasiva e sou atraída para uma porta entreaberta ao final do corredor, como uma serpente segue o flautista. Sinto meu miocárdio se contraindo a cada passo, meus ouvidos imploram por socorro, minha mente tenta encontrar uma solução racional, mas todas me levam ao mesmo caminho, abrir a porta.

    Em um ato repentino de coragem, pressiono a maçaneta em sentido horário, como se minha vida dependesse desse momento. Me deparo com um cômodo escuro com um tipo de adesivo fluorescente colado no teto; são estrelas, que me trazem um sentimento de segurança. Mais uma vez sou retirada à força de meus pensamentos pelo som insuportável. Lentamente corro minha mão pela parede, os segundos se convertem em minutos infernais em minha cabeça, até finalmente meu dedo indicador encontrar algo semelhante a um interruptor, devastando o cômodo com uma terrível luz amarela. Sinto o esforço de minhas pupilas se retraindo para se adaptar a essa luz impiedosa. Identifico um berço coberto por uma tela presa ao teto, junto com as estrelas que agora já não brilham mais. O som vem de dentro do berço e, por impulso, retiro a tela que o envolvia, me deparando com uma criança. Ela para de emitir o som, me encara e estende os braços. Meu coração começa a bater cada vez mais rápido, meu corpo libera adrenalina, minhas pupilas dilatam, mas eu não sei como reagir.

 O olhar penetrante do bebê me causa arrepios, como se ele me implorasse algo. Eu me sinto asfixiada perto desse ser. Mas ele também me traz sentimentos mistos de amor, desespero, angústia. A cada movimento previsível dele, meu estômago se retorce, o suor frio percorre minha nuca em uma corrida incansável. Eu já não me vejo presente, como se eu fosse a invasora da carne vívida de outro ser, ou como se minha mente fosse um parasita em mim.

 Quando percebo, estou novamente na cama, sentada, estática, encarando uma moldura no cômodo. Talvez aquilo tenha sido um pesadelo, um devaneio em uma péssima hora. Retorno meus pensamentos para o suposto presente, encaro com mais atenção a moldura e percebo que há uma família na foto. Uma mulher e uma criança, mas não as identifico. Decido então me levantar mais uma vez e vejo que o excesso de luminosidade vem do corredor. Percebo então que tudo aquilo foi real.

 Com passos tortos pelo corredor, sigo em direção oposta à da luz. Me encontro perdida em uma casa, porém acolhida. Meus pés repousam levemente no piso frio, e percebo que estou descalça. Fito as paredes estreitas repletas de fotografias da mesma família, agora com outras crianças. Parecem felizes. A expressão do rosto da mulher denuncia alegria, ou algo muito bem forjado. As imagens não terminam, dão a impressão da infinitude do corredor, o fim parece não existir.
 Prossigo até encontrar uma porta, que é semelhante à do cômodo da criança, mas a sensação de desespero não me invade novamente. Com os olhos entreabertos, no intuito de reduzir o impacto a minha pupila, decido buscar o interruptor. A luz acende e clareia um lugar pequeno, um banheiro. Há algumas caixas de remédios espalhadas pelo chão gelado do ambiente, junto com alguns papéis adesivos com frases no imperativo como: "Não se esqueça!", " Você consegue!". Talvez a que mais me traga dúvidas seja: "Você lutou muito, não desista". Parecem frases de efeito tiradas de um livro de autoajuda, presas aos medicamentos.
 Em um movimento brusco, vou ao encontro de uma imagem na parede que lembra a mulher das fotos. Logo abaixo da imagem há uma pia com uma torneira envelhecida que pinga de modo simétrico e cronometrado. Me perco no som das gotas e levo meu olhar de nova para a imagem acima. É estranhamente familiar, porém medonha. Tento tocar, recebo como resposta um movimento. Percebo então estar frente a frente com meu reflexo.
 Um tsunami de lembranças surge em minha cabeça, crianças, roupas brancas, risadas, choros, noites, amor.

Sem raciocinar, sou levada pelo meu corpo à última gaveta abaixo da pia. Meus músculos se contraem, e a terrível sensação de asfixia retorna mais forte do que antes.

Respiro então de maneira compassada, busco equilíbrio em meus pés, deixo meu peso respeitar a gravidade e me sento no chão. Há inúmeras prescrições de medicamentos, mas o que me prende a atenção é um envelope pardo aberto. Meus dedos formigam ao encostar no papel, deixo meu corpo se acostumar com a curiosidade, respiro fundo novamente e coloco a mão direita dentro do envelope. Retiro papéis grampeados e decido ler.

É um contrato amassado de uma cuidadora de crianças, Elisa Soares. Sinto que esse nome me pertence, sem lógica alguma, somente intuição. Há um endereço localizado em Botafogo, bairro nobre da cidade do Rio de Janeiro, além de dois números de telefones celulares para contato, em nome de Marcela Weber. Surgem em minha mente lembranças: gêmeos univitelinos correndo com os pés na areia de alguma praia, um cachorro de grande porte latindo em direção à porta, roupas brancas. Um dos poucos pensamentos racionais que posso ter me levam a concluir que a criança dentro daquele cômodo pertence à mulher do contrato, e eu sou a cuidadora.

Serei presa? Sou uma sequestradora de crianças? Por que uma babá levaria um bebê para casa?, minha cabeça questiona tudo o tempo todo. Me sinto culpada por ter aquela criança sob meu teto. É angustiante não saber como agir diante dessa situação. Há ainda a possibilidade de a criança não ser da Sra. Weber; se há pouco tempo confundi meu reflexo com uma foto como teria noção da origem daquela pequena vida?

Saio com passos rápidos do banheiro e me dirijo ao corredor estreito repleto de fotos minhas com algumas crianças. Concluo que há certa possibilidade de ter trabalhado para a família delas. Novamente me deparo com outros papéis adesivos, mas com um conteúdo distinto das frases motivacionais dos remédios. Há mais números de telefone, um da Sra.Weber e outro de um médico, Dr. Willian, acompanhado pela frase "Ligue o quanto antes". Novamente meu corpo reage de forma dolorosa, me forço a manter a calma e buscar algum meio de comunicação.

Memórias emaranhadas como um novelo de lã surgem em minha mente de modo atemporal. Em um lapso, revejo um vigésimo de minha lucidez e me deixo ser guiada até uma sala de estar, fria, escura e vazia. Encontro mais papéis adesivos espalhados pelo local, como se alguém quisesse me lembrar de algo. Decido me arriscar e digito a sequência de números que correspondem ao telefone da Sra. Weber. É agonizante o sinal de afirmação da chamada, um segundo vira sessenta em minha cabeça, o barulho está em uma frequência extremante alta, e meus tímpanos imploram que minha curiosidade abdique de descobrir a origem da criança.

Após eternos segundos, uma voz rouca feminina emite seu primeiro som: "Alô, quem fala?" Um arrepio frio percorre minha espinha, a voz me soou familiar. Prossegue em um tom já impaciente: "Oi, tem alguém aí?" Com um certo medo, respondo: "Gostaria de falar com a Sra. Weber, por favor". Um silêncio invade a linha entre nós duas, ouço a respiração dela acelerar, ela sussurra algo para uma terceira pessoa e solta: "Lisa, é você? Como está Clarisse? Com quem a deixou?" Meu córtex trabalha incansavelmente para buscar quem seria Clarisse, mas tudo o que consigo são mais dúvidas. "Perdão, Clarisse é sua filha de quem estou tomando conta? Minha mente anda confusa, liguei para perguntar quando devo devolver a criança da senhora." Há um abismo silencioso entre nós nesse momento. A Sra. Weber me questiona inúmeras vezes com quem eu havia deixado Clarisse. Parece irreal para ela que a criança esteja sob meus cuidados. Como então há um contrato de cuidadora em meu nome, se a Sra. Weber pelo visto não confia em mim para cuidar de uma criança? Isso não faz sentido em minha percepção. Ela afirma estar com o resultado de alguns exames, diz também que vai me acompanhar ao consultório de um médico da família. Tudo soa distorcido para mim, a dor retorna à minha cabeça.

Ouço o som estridente da campainha, meus ouvidos não suportam mais qualquer barulho. A porta se abre antes mesmo de meus dedos se moverem meio milímetro, como se fosse um hábito dela se manter aberta. Uma mulher alta, ombros largos e olheiras profundas, carregando um olhar de preocupação, invade a sala de estar. Traz uma pasta com diversos papéis na mão esquerda e, na direita, uma chave de carro. Sei que é a Sra. Weber.

Como pode ter chegado tão depressa? Quanto tempo já se passou desde que desligamos o telefone? Onde minha cabeça estava esse tempo todo? Por que não tinha a confiança dela para cuidar de Clarisse? Ou, pior, por que eu também não sinto confiança em mim?

Percebo minha mente trabalhando rumo à autodestruição, meu corpo pode entrar em colapso a qualquer instante e não há nada que eu possa fazer.

A Sra. Weber passa reto por mim, rumo ao quarto no fim do corredor, perguntando onde está Clarisse. Ouço os passos rápidos de seus saltos se chocando com o chão frio do corredor, até a estática e repentina chegada ao destino planejado. O barulho se repete de modo regressivo, mas com mais pressão. A Sra. Weber retorna do cômodo com sua filha dividindo o espaço em seu braço com a pasta e a chave, me encara e calmamente movimenta a cabeça sinalizando que eu a siga. Entro em seu carro sem questionar e logo me perco na poluição sonora da cidade.

Quando minha atenção retorna ao presente, percebo estar em uma sala de cores suaves, sentada em frente a uma mesa e próxima a Clarisse e sua mãe. Lentamente a porta se abre. Mantenho minha atenção fixa à mesa com enfeites e a alguns instrumentos médicos, mas percebo a aproximação de uma figura de branco. Dr. Willian, como se apresenta para mim. Sua voz é marcante. Senta-se atrás da mesa e analisa os papéis que a Sra. Weber carregava em sua pasta. Me questiona se os medicamentos estão em dia e se por acaso são meus todos aqueles papéis adesivos espalhados pela casa. Pergunta sobre a saúde de Clarisse, mas eu retruco que essa pergunta deve ser direcionada à mãe dela. O doutor me encara com um olhar preocupado.

Examino cada palavra saindo dos lábios do médico, "Psicose Puerperal". A Sra. Weber abraça Clarisse, sinto meus pés dormentes, e o médico indaga se eu estou entendendo do que se trata. Sem raciocinar, respondo com a cabeça que não. Ele escreve em uma folha a palavra "psicose", mas seguida de "pós-parto". Um filme surge em minha mente, revejo os gêmeos univitelinos, agora acompanhados da Sra. Weber. As crianças das fotografias surgem com suas famílias. Eu realmente fui babá delas.

Observo lembranças vívidas de minha imagem no espelho, grávida e feliz.

Lembro do choro de um bebê sujo de sangue, meu sangue. Era Clarisse. Cuidei de tantas crianças e esqueci a minha.

A paz e a angústia invadem meu peito, ouço atentamente os detalhes do tratamento, sinto que será difícil, mas que vou suportar. Assino o termo de internação, respiro fundo e olho nos olhos de Clarisse, minha filha. Ela retribui com uma risada espontânea. Abraço-a calorosamente, com a certeza de que, quando o tratamento terminar, não a esquecerei de novo.

JAMILLE FIGUEIREDO DA COSTA

3. Minha força

— Mamãe... —balbuciou Sarai, brincando com a ponta de uma mecha de cabelo da mãe. — Um dia, quero ser respeitada como você é. Quero ser grande, mamãe. Assim como você.

Fay sorriu com a ternura da filha. Não havia nada mais gratificante do que o sangue de seu sangue completamente entregue e devoto a ela. Seu colo era aquecido pelas pequenas rajadas de ar quente que Sarai expirava. Naquele momento, o tempo parecia uma ilusão: não havia conflitos com os quais se preocupar, nem a má colheita que ameaçava atingir seu povo, muito menos o surto de uma doença provocada por estrangeiros; não, naquele momento, só existiam uma mãe e uma filha, aproveitando a companhia uma da outra.

Com delicadeza, Fay passou os dedos pelo sedoso cabelo da filha, admirando a pequena bênção que lhe havia sido concedida. Tão bonita, tão jovem... Fay se perguntava como um ser tão pueril poderia amar alguém como ela, uma pessoa que já havia visto e feito de tudo, que já não acreditava mais que era merecedora de algo, nem sequer da mais severa das punições. Apesar disso, o destino a agraciara com uma filha, uma dócil e perfeita criatura, que se tornara a sua razão de acordar todas as manhãs com um brilho diferente nos olhos; o brilho característico das pessoas que amam. Fay agradecia todos os dias por ter alguém por quem viver.

— Por que as outras pessoas não são grandes como você? — perguntou Sarai, ainda voltada para o cabelo da mãe.

— De onde você tirou isso, meu amor? — respondeu Fay com um sorriso. — Eu sou tão pequena quanto você ou os seus amigos, ou até mesmo os pais deles... No fim das contas, títulos são só nomes inventados para impor respeito.

— Não acho que eles a respeitem só por ser a chefe... — murmurou a pequena, concentrada em um par de pontas duplas que havia achado no cabelo da mãe. — E a senhora não me respondeu.

Fay suspirou profundamente antes de responder à pergunta de Sarai.

— Bom... é como se houvesse uma muralha entre você e a grandeza.

Sarai franziu a testa perante tal comparação, mas Fay continuou:

— Essa muralha é imensa, assustadoramente colossal, e a maioria das pessoas tem medo da altura. Muitas não sobrevivem à queda, outras nem têm coragem de começar a subir.

A filha desviou o olhar e fitou nenhum lugar em particular, imersa na abstração.

— Alguém já caiu e sobreviveu?

Fay refletiu um pouco antes de responder.

— Sim...
— Quem?
— Basicamente todos os que alcançam o topo. Vendo que sua espectadora continuava em silêncio, Fay prosseguiu com a explicação:
— São os que não têm medo de cair. Que percebem que cada queda os fortalece, esses são os que conseguem. Mas é tão, tão difícil continuar, minha filha... É por isso que são tão poucos os que ascendem.

Sarai observou os olhos de Fay. Cristal encontrou cristal, juventude encontrou velhice, inocência encontrou experiência, vulnerabilidade encontrou prestígio, sofrimento encontrou sofrimento, amor encontrou amor.

— Você é tão forte, mamãe.

TAINÁ AMADOR JUNQUEIRA

4.
Vida de Maria

O despertador toca cedo, como todos os dias. Mal fecho os olhos na cama velha de madeira e já é preciso levantar, ir pro serviço e sustentar as crianças. A coluna dói, o cansaço domina, a mão calejada formiga, o corpo pesa, a barriga ronca de fome, mas é preciso levantar. Me apronto e pé ante pé faço o mínimo de barulho possível para não acordar os meninos, deixe que eles durmam um pouco mais, ainda não são nem cinco da manhã, afinal.

Deixo uma cartinha de bom-dia e recomendações para o dia. Antônia deve comprar leite e ovo, que estão em falta, e limpar a casa, já que é a mais velha. Carlos precisa ajudar Seu Zé lá no camelô depois da aula e Mário vai descer com o lixo no fim da tarde.

Enfim, parto para mais um dia. Sinhá Luzia já está lá fora quando saio de casa, Seu Zé também. Vou descendo o morro à espera de não perder o primeiro ônibus, senão perco também o segundo, me atraso, e a Dona fica brava.

Não, não posso perder o ônibus. Aperto o passo descendo as escadarias enquanto o dia vai raiando e a cidade vai acordando.

Consigo pegar o 703 ainda vazio. Uns quarenta minutos de viagem. Depois mais 55 minutos do segundo ônibus lotado, mas a patroa não deve ter acordado ainda.

Entro no prédio, lindo, chafariz e coqueiros para enfeitar a portaria. Um dia meus meninos vão poder morar aqui. Deus ajude!

— Boa dia, Dona Camila — digo assim que ela se senta à mesa do café, arrumada como ela gosta.

— Boa dia, Maria. Como estão os meninos? Mário já melhorou da tosse?

— Já, sim, Dona! Obrigada.

— Então, Maria, hoje vou receber uns amigos, faça um bom almoço, por favor, pegue as roupas para lavar e passe as que estão limpas. Depois limpe a casa, que está puro pó! Ah, e faça as compras, por favor, já já te dou a lista.

— Sim, senhora! — Me retiro apressada, em desespero. Como vou fazer isso tudo em um dia? Não vou chegar a tempo de ver as crianças acordadas!

O relógio corre. Lavo a louça, coloco as roupas na máquina, limpo a sala e os banheiros. Os meninos já chegaram na escola, será que deu tudo certo? Será que chegaram bem e se lembraram de trancar a porta de casa? Tento rezar um Pai-Nosso, ainda tem o almoço da patroa pra fazer, e agora? Calma, Maria! Pensa, mulher, pensa! Você consegue fazer tudo! Não é tão impossível assim... Faz o almoço, põe a mesa, limpa os quartos, passa a roupa, lava a louça, faz as compras... Ufa!

A exaustão domina o corpo. Tento lutar contra o cansaço, em pé no ônibus barulhento de volta pra casa. Subindo a ladeira, deixo algumas lágrimas escaparem, não sei se é de dor, de saudade ou apenas de cansaço mesmo.

Quando chego, Mário está sentado na calçada em frente de casa.

— Filho, o que tá fazendo aqui fora uma hora dessas? — pergunto, tentando esconder o choro.

— Esperando, mamãe. Aposto que hoje ele vem!

Há meses ele se foi. Desceu essa ladeira sem olhar pra trás, levando o pouco que tinha.

— Seu pai não volta, meu filho. Homem como ele não volta pra ver filho, não! Eu sinto muito.

— Ele volta, mainha! Sei que volta...

— Vamos entrar, filho, já é tarde, aqui fora é perigoso.

— Vou esperar ele aqui fora.

Canso de falar e tentar fazer os meninos entenderem que não vão mais ver o pai. Mas uma coisa dessas não se entende mesmo, não tem como entender. Eu mesma não compreendo como fui me apaixonar por um homem como esse. Como ele conseguiu deixar pra trás três filhos e uma mulher, em uma casinha de madeira em cima do morro? Não há nada que justifique algo assim.

— Meu filho, quem sabe ele não vem amanhã? Agora já é tarde, ele acha que você já está dormindo, por isso não quer chegar à noite! Ligue de novo pra ele, que tal?

Por hoje o convenço a entrar, mas sei que amanhã será a mesma coisa. Que criança que ama o pai não esperaria ansiosamente a chegada imprevisível do homem que um dia foi embora?

Tomo um banho frio com pouca água, tentando tirar o suor do dia. Os três já dormem. Como terá sido o dia de cada um? Será que brigaram na escola? Ou tiveram provas? Será que fizeram tudo que pedi? Será que viveram felizes o dia de hoje? Ah, como eu queria ser uma mãe melhor, mais presente...

A madrugada raia, e mesmo com o corpo todo doído, gemendo de dor e pedindo arrego, vou fazer a comida de amanhã para eles e a minha marmita. Depois passo os uniformes da escola e finalmente vou dormir, angustiada, torcendo para o despertador não tocar, e eu ter que enfrentar o mundo inteiro novamente.

E começa mais um dia, outra vez. A monótona rotina de uma desprezível mulher negra da favela, que vive limpando, esfregando e cozinhando, na constante missão de alimentar as crianças. Às vezes, quando acordo faminta ou exausta, apenas o amor de mãe me move para viver o mesmo miserável dia de ontem, que será também o de amanhã, na sede de um futuro melhor para meus filhos, que não podem se acabar nessa mesma vida que levo.

Ainda assim, eu me levanto com um sorriso no rosto, pensando no sol que pode brilhar lá fora e no milagre de viver. Sou feliz, apesar de tudo. Tenho a maior riqueza do mundo, que dinheiro nenhum compra: meus filhos. Uma menina e dois meninos. Nomes de minha avó, meu avô e meu irmão, que perdi quando nova. A gente, que tem pouco, também se acostuma a não ter muito a perder. Mas, por isso mesmo, quando perde, nosso mundo desmorona.

Vou para o trabalho movida apenas pelo sorriso da minha menina, que desperta quando estou saindo. Novamente desço as escadas. Meu peito pesa de uma forma estranha, daquele jeito que só quem é mãe sente. Mesmo assim, sigo para o ponto de ônibus, apressada como sempre. O ônibus quebra no meio do caminho, talvez seja isso que o peso no peito tentava me avisar. Saio andando aflita pela rua, atrás de outro ônibus para me levar. Não posso chegar atrasada no serviço! Mas chego. Meia hora. Tempo suficiente para Dona Camila ficar daquele jeito... Vou precisar compensar.

Lava, seca, limpa, passa, cozinha, vai, volta, faz, lava, arruma, varre e não acaba, nem a louça nem aquele aperto no peito de mais cedo.

— Mariaaa!!! Por que minha camisa está rosa? O que você fez? É cara essa camisa, Maria! Como você me arruma uma coisa dessas? É um absurdo...

— Seu Ricardo, mil desculpas! Foi erro meu... Devo ter colocado junto com outras roupas na máquina! Não vai mais acontecer, fica sossegado.

— Quero ver, Maria. Estou de olho agora, onde já se viu?

— Respira, Maria! Todo mundo faz isso. É normal, não é? — diz Maria para si mesma.

Ainda me incomoda o aperto no peito que não vai embora! O que será isso, minha santíssima?

Os meninos... Será que aconteceu alguma coisa com eles?

Sem nem se passar um minuto, meu celular toca. O coração gela. É Sinhá Luzia, a vizinha da frente. Tudo isso é muito estranho. Por que Luzia me ligaria no meio do trabalho?

— Alô, Luzia?

— O... oi, Maria...

— Está tudo bem, Luzia? O que foi?

— Maria... eu sei que você tá no serviço, mas é urgente.

— Ôxe, mulher! Diga logo o que é!

— É... é melhor você se sentar, Maria...

— Diga, mulher! — Engulo seco.

— É o Mário, Maria...

Coração de mãe não nega. No momento em que ouço o nome de meu filho caçula no telefone, as pernas tremem, a respiração fica entrecortada. O celular cai no chão e, sem nem avisar nada, saio em disparada para o hospital. Não sei como chego lá tão rápido e mesmo assim não rápido o suficiente.

Devia ter me lembrado. Colocado na cartinha com as recomendações ou na geladeira. Devia ter falado com ele hoje de manhã uma última vez. Era dia de operação da polícia lá em cima. Dia de tiro. De muito barulho. Dia de se esconder em colo de mãe ou dentro de casa, mesmo que frágil e de madeira. Devia ter lembrado. Por que me esqueci disso? Como, meu Deus? Mandaria eles ficarem dentro de casa ou não irem pra escola...

Foi em confronto. Bala perdida acertou a cabeça de Mário. Não sabem se partiu de traficante ou polícia, nunca sabem.

Mário. Nome que dei em homenagem a meu avô. O homem mais forte que conheci. Não de músculos, mas de coração forte. Meu filho era assim também. Quando pequenino, quase não chorava. Se conformava com tudo que a vida tinha a lhe oferecer. E assim, de repente, sem aviso nenhum, uma bala de chumbo lhe tirou a vida. A pequena vida, como ele.

Já não tenho mais lágrimas dentro de mim que tentem dizer a dor que sinto. Parte de mim morreu naquele dia. Eu, Antônia, Carlos, Luzia e Seu Zé choramos em cima de Mário. O peso no peito que eu senti não chega aos pés do peso que passou a me acompanhar. A dor que senti a partir dali não cabe neste papel, nem em significado de nenhuma palavra existente. A dor de uma mãe que perdeu o filho deixa qualquer dor nas costas ou nas mãos passarem despercebidas. Meu menino era apaixonado pela vida, empinava pipa sempre que podia e tinha apenas o sonho de reencontrar o pai.

No final do dia recebo uma mensagem de Dona Camila dizendo que se acontecer mais alguma coisa, atraso ou erro, eu serei despedida.

Assim, no dia seguinte, sou a mulher que meu avô e meu filho me ensinaram a ser, uma mulher forte. Mais forte do que qualquer outra mulher negra de favela. No único dia em que eu queria ser fraca e chorar e me permitir sofrer pelo meu filho, sou mais forte que nunca. Eu me levanto e desço o morro para ir me explicar para Dona Camila, contar o que aconteceu. Mas antes de sair percebo que não posso mais escrever o nome de Mário na cartinha de recomendações. E dói. E dói sempre a falta que faz meu filho.

O dia é longo. Dona Camila diz que vai pagar um enterro decente para meu menino, diz que sente muito. Mas vou atrás da polícia. A mesma polícia que talvez tenha matado meu filho me deve agora uma explicação, me deve justiça pelo pequeno Mário.

A subida pra casa no fim do dia nunca foi tão íngreme e difícil de percorrer. Parece que eu não vou aguentar mais.

Na calçada, não está Mário à espera do pai, mas está Antônia, minha mais velha.

— Juro que foi tudo muito rápido, mãe! Não deu tempo de tirar o Mário da rua. Desculpa.

— Ei, não é sua culpa, minha filha! É culpa desse mundo que a gente vive, dessa polícia que não nos enxerga!

— Eu sei, mãe... mas você ensinou que a gente deveria se proteger e ajudar um ao outro.

Lágrimas salgadas escorrem pelo seu rosto. Ela sofre também. Tento conter meu choro.

— Às vezes a gente não tem controle da situação e não pode fazer nada... Eu sei que é difícil, mas a gente tem que ser forte.

— A gente sempre tem que ser forte, mãe! Sempre! Até hoje, um dia depois que meu irmão morreu, você foi trabalhar ou sei lá o quê.

— Eu preciso ser forte. Por que o mundo não deixa a gente sofrer, e você e Carlos ainda têm uma vida pela frente. É por vocês que eu luto todos os dias.

— Você pode ser fraca um dia, mãe! Um dia só! Você pode chorar pelo seu filho e pode dividir o peso do mundo que carrega todos os dias sozinha nas costas enquanto sobe essa ladeira!

É uma mistura de sentimentos que me vem agora. Dor, orgulho da minha menina... Nunca imaginei que minha filha seria um dia meu colo e meu consolo. Já não consigo segurar o choro. As lágrimas apenas vêm. Coloco as sacolas no chão, me sento na sarjeta ao lado de Antônia e me aninho a ela.

— Eu posso? Posso sentir saudade do meu filho e sofrer pela morte dele?

— É claro que pode. Pode esquecer por um dia o mundo lá fora e ficar aqui com a gente. Eu e Carlos ainda estamos aqui, mamãe, e queremos o seu abraço.

E assim sou fraca por um dia. Me permito sofrer e chorar pelo meu filho que morreu de forma brutal. Perdemos o pouco que tínhamos. Mas amanhã seremos fortes novamente, descerei o morro para lavar, limpar, esfregar e enfrentar o mundo inteiro, que sempre é mais difícil para uma mulher preta da favela e sua família.

Amanhã carregarei o mundo novamente. Só não poderei escrever recomendações para Mário de manhã. E isso dói, vai doer pra sempre.

CAMILA LIMA DA COSTA

5.
Borboletas

Em uma bela manhã ensolarada no interior do Ceará, estava Elisa, que morava em uma residência simples, com poucos móveis e nenhum bem de grande valor. A casa, sendo de taipa, não poderia ser pintada com cores vivas, tinha apenas aquelas cores neutras, que intensificavam suas dores. A vizinhança era calma, diariamente as mulheres ficavam nas calçadas conversando sobre diversos assuntos, enquanto os maridos estavam no trabalho, e os filhos, na escola. Aliás, era uma conquista enorme ter acesso à educação de qualidade, pois a maioria dos moradores dessa comunidade não tinha condições de pagar uma escola particular.

    A família de Elisa, que se resumia a ela e sua mãe, era vista por todos como uma família não tradicional. As duas moravam em uma área de risco, onde poderiam perder tudo que tinham em desastres naturais, por causa das fortes chuvas. No entanto, naquela casa precária, Elisa considerava seu quarto um refúgio, que justificava sua existência. Lá, ela guardava no alto de uma estante velha, perto de uns objetos empoeirados, o seu objeto mais valioso: um diário em que anotava todo o seu dia a dia.

Humilde e sonhadora, Elisa era uma adolescente diferente de todas as outras; odiava festas e lugares movimentados. Preferia se isolar, mesmo com o coração apertado e a mente cheia de pensamentos.

Naquela manhã, como em todas as outras, ela foi fazer as anotações de costume no diário. Antes, ajoelhou-se diante de um espelho sujo, repleto de marcas do passado e, observando-se lentamente, ficou perplexa. Pele escura, cabelo crespo, várias sardas, um corpo fora do padrão; padrão este que destrói vidas e polui mentes. O olhar expunha a culpa por um crime que viria a ser julgado, e talvez a sentença fosse prisão perpétua. E o cárcere seria a sua indecisão.

Nesse instante de melancolia, a mãe de Elisa entrou no quarto e interrompeu os pensamentos conturbados da menina. Vinha com o olhar carregado de medo e esperança para acordar a filha mais uma vez. A mãe de Elisa acreditava que o maior sonho da filha era se tornar professora; desejava que Elisa realizasse os sonhos que uma vez havia acalentado para si própria, mas que haviam sido interrompidos pela maternidade prematura.

As duas se deram um abraço singelo e comovente, e Elisa sentiu o conforto do amor maternal verdadeiro, que a preenchia, amenizava suas crises existenciais e tornava possível a busca pela felicidade. Subitamente a adolescente caiu em prantos, culpando-se por aquela mulher que a abraçava ter assumido a responsabilidade de criá-la sozinha, depois de uma gravidez resultante de um abuso sexual. Também chorou pela vida dura que a mãe levava, sendo julgada e discriminada pelo tom da pele.

Elisa e a mãe já haviam conversado sobre o que ocorrera, sobre o abuso de que tinha sido vítima. Havia sido em uma noite de sábado, quando ainda era muito jovem. Ela havia se arrumado cedo, posto o melhor vestido que tinha no armário, vermelho e com um decote que valorizava seus seios. Calçara um sapato de salto bege que contrastava com seu tom de pele, colocara as melhores bijuterias e, para finalizar, havia passado um batom roxo que lhe dava uma sensação de poder e autoconfiança. Havia feito um penteado que destacava o volume de seu cabelo, e saiu em busca dos momentos incríveis que a noite poderia proporcionar.

Não sabia que aquela seria a noite mais marcante de sua vida. Saiu com as amigas, que queriam curtir, conhecer novas pessoas, em uma festa casual. Chegando ao destino, uma casa de festas agradável, com músicas diversificadas, as jovens conheceram novas pessoas, dançaram, aproveitaram. As horas foram passando depressa e, quando já era bem tarde, resolveram voltar para casa. Àquela hora da noite, as ruas já eram cenário de muitos perigos, e as garotas poderiam testemunhar uma das muitas cenas de agressões físicas ou verbais, principalmente contra homossexuais, que costumavam ocorrer.

As jovens prosseguiram em seu caminho até o lugar onde alguns rapazes, sentados na calçada escura, se drogavam. De repente eles as atacaram e, como leões violentos, fizeram das garotas suas presas, mais umas dentre tantas vítimas desse crime brutal. As jovens correram em desespero e nenhuma conseguiu fugir. Elas foram tratadas como um objeto sem valor e carregaram essa dor pelo resto da vida.

Profundamente devastadas, essas jovens mulheres acabaram ancoradas por esse trauma e não tiveram mais forças para ir atrás de seus sonhos. Foi dessa maneira que a jovem que posteriormente viria a se tornar mãe de Elisa deixou morrer o sonho de tornar-se professora, o que teria mudado a realidade dela e de muitos à sua volta. Sem condições financeiras nem apoio dos pais, ela saiu de casa em busca de uma vida melhor. E, com o passar dos anos, conseguiu se estabilizar, mesmo enfrentando opiniões e julgamentos de alguns que cruzaram seu caminho.

Apesar da angústia que sentia ao pensar na situação da mãe, ou talvez justamente por causa da tragédia da mãe, Elisa se perguntava não só como poderia ser feliz, mas como fazer os outros felizes. Naquela manhã, quando se encarou no espelho e foi acolhida pelo abraço da mãe, Elisa percebeu que seu verdadeiro sonho era ajudar as pessoas, mas não necessariamente seguindo o caminho que a mãe havia traçado para ela. Elisa desejava salvar vidas, ou ajudar as pessoas a realizar seus sonhos.

Mas como poderia realizar os sonhos dos outros, se não conseguia concretizar os seus? No turbilhão de pensamentos que a acometiam, a jovem tinha apenas uma certeza: a incerteza de seu futuro.

Naquela manhã, Elisa compreendeu qual era seu cárcere. Ela própria fora causadora de crimes banais contra sua existência. Tornara-se refém da negatividade e do medo; medo de tentar ser feliz, de alcançar seus objetivos. Sentia-se uma prisioneira, e apenas seus pensamentos poderiam julgá-la livre ou aprisionada eternamente à ideia de realizar as expectativas dos outros, algo a que se submetia havia muito tempo.

Quando tomou consciência do que vinha fazendo consigo mesma, uma nova personalidade surgiu.

Elisa resolveu definir seus próprios critérios. Decidiu também que ajudaria a mãe a realizar um sonho que havia se perdido fazia muito tempo. Rapidamente se lembrou de já havia lido depoimentos de vítimas de abuso sexual em algum jornal velho, que talvez ainda estivesse esquecido na pilha de jornais que guardavam em casa. Ela lembra de ter percebido ao ler a matéria como infelizmente o assunto ainda é visto de maneira distorcida por tantas pessoas, que julgam as mulheres por terem sido violentadas, e como a mídia corrobora para a disseminação desse pensamento extremamente machista, sobretudo quando as vítimas são negras.

Elisa achou o jornal que queria logo no topo da pilha de jornais velhos que ficava ao lado da pia e localizou o relato de uma jovem mulher negra que havia impactado seus pensamentos. Aquela mulher negra, apesar de todos os rastros emocionais, havia conseguido seguir em frente, graças à ajuda do filho, que sempre a motivou a perseguir seus sonhos. Esse relato inspirou Elisa a tomar o mesmo caminho; de mãos dadas com a mãe, ela a incentivaria a concretizar seu sonho deixado para trás por tanto tempo, e estudar, se tornar professora, ser uma mulher realizada.

Com essa nova meta em mente, mais tarde naquele dia, Elisa foi até o quarto onde sua mãe se preparava para dormir, ligou o ventilador velho e empoeirado que estava em cima do tamborete e deitou-se no chão embaixo da rede. A jovem falou um pouco sobre o que havia lido em um dos jornais empilhados ao lado da pia. Contava com um brilho nos olhos, quase emocionada, a história da mulher que havia passado pelo mesmo trauma de sua mãe, e fora ajudada pelo filho, fruto de um abuso, como a própria Elisa. A mãe permaneceu em silêncio, tentando não desabar diante daquele reencontro com memórias tão dolorosas. Quando Elisa terminou de falar, se aconchegaram num abraço como só elas sabiam acolher uma à outra.

A mãe de Elisa, então, recordou de uma história de sua infância, quando brincava num parquinho em frente à escola em que estudava. Um dia, um coleguinha foi subir no escorregador, mas a mãe de Elisa estava no meio do brinquedo e o coleguinha acabou caindo. Ela, então, se sentiu culpada por ter sido a causa do machucado da outra criança e jurou para si mesma e para os colegas que não brincaria mais lá. Um homem que assistia à cena se aproximou e a aconselhou a nunca se privar de nada que fosse importante pra ela na vida. Com essa memória e o apoio da filha, a mãe de Elisa decidiu concluir o ensino médio e cursar a faculdade que desejava, para, posteriormente, realizar seu sonho profissional.

Mãe e filha chegaram à conclusão de que todos os seres humanos deveriam ser como borboletas: quando lagartas, estão tateando o mundo e si próprios, se descobrindo, passando por momentos difíceis, que podem não agradar à primeira vista. Depois entram num casulo, onde reconhecem as vontades reprimidas, o desejo de ser, onde se enxergam em sua essência e buscam se expressar de maneira autêntica. Aí, sim, estão prontos para a liberdade, para ir além, até onde a visão possa alcançar.

Com os olhos cheios de lágrimas, as duas se abraçaram novamente. Elas se completam, e juntas poderiam se livrar das prisões perpétuas que criaram para si mesmas, ao preencher os vazios existenciais, ao deixar de lado o modo com que a sociedade pode comandar as relações interpessoais e as diversas manifestações do eu.

* * *

O desejo da filha trouxe à superfície, então, o sonho sufocado da mãe e, caminhando juntas, apoiando-se uma na outra, conseguiram alcançar seus objetivos. Anos depois, ambas estavam formadas e exercendo a profissão que tanto desejavam, transformando vidas, cada uma à sua maneira.

Quanto ao seu diário, Elisa resolveu não queimá--lo, como era sua intenção inicial, pois nele guardava uma grande transformação da sua vida. Em vez disso, adquiriu um novo, para registrar o cotidiano de uma nova Elisa, livre de uma mente aprisionada. Se libertar da culpa e do peso de carregar o sofrimento decorrente da violência sofrida pela mãe abriu espaço para sua realização pessoal. O amor ganhou a vez. Inclusive o amor por seus defeitos, afinal, são eles que tornam cada ser único. Elisa aprendeu que é preciso superar as limitações, tendo consciência de que as experiências do passado influenciam constantemente as ações do presente, porém nunca devem nos paralisar. Devemos ser reféns apenas da felicidade. Devemos ser nossa própria utopia.

\\|/ KAREN ALESSANDRA AMARAL SILVA

6.
Era um dia especial*

Hoje era pra ser um dia especial.
Eu estava com minha mãe, assistindo a um filme francês a que queríamos assistir havia muito tempo. *O fabuloso destino de Amélie Poulain*. Ficamos encantadas com a trilha sonora, que era toda de música clássica. As notas e os acordes nos traziam grandes emoções. Também ficamos intrigadas com a Amélie, suas descobertas e seu jeito, o algo mais que nos despertou curiosidade.

Todos os anos, no dia 15 de agosto, eu e mamãe saímos e fazemos programas de mãe e filha. Essa data era nossa, era especial, pois foi a primeira vez em que falei "mamãe". Desde então, passamos a comemorar.

Quando o filme acabou, já estava escurecendo. Mamãe e eu saímos do cinema e fomos para o carro, que estava

---

Alertamos aos leitores mais sensíveis que este conto apresenta um conteúdo mais evidente de violência sexual.

um pouco distante, em uma rua pouco iluminada. Conversávamos animadas sobre o filme, até que notei algo enquanto nos aproximávamos do carro.

— Mamãe, a senhora não estava de casaco quando viemos?

— Ah, sim, Rebecca... Me empolguei tanto contigo que acabei esquecendo. Espere no carro enquanto vou voltar para buscar. — Ela me deu um beijo na testa e foi em direção ao cinema.

Quando cheguei ao carro, percebi que minha mãe não havia me dado as chaves e, como já a havia perdido de vista, fiquei esperando.

A noite estava fria, e o lugar cada vez mais sombrio. Um medo súbito se espalhou por mim. Aquela rua é perigosa, acontecem muitos assaltos e sabe-se lá o que mais. Comecei a ficar inquieta com a demora de minha mãe, e a cada segundo que passava o frio e o medo aumentavam.

Decidi voltar ao cinema, e quando dei dois passos, pronto, senti um braço forte e bruto me pegando pela cintura, enquanto algo afiado encostava no meu pescoço. Lágrimas brotaram dos meus olhos, e abri a boca para gritar.

— Grite, mesmo que ninguém te escute. Mas grite, porque eu adoro as escandalosas — disse ele. E lágrimas que se formaram desceram agressivas pelo meu rosto. Gritei, gritei mesmo. Mas ninguém ouvia.

Ele deitou meu corpo no capô do carro e se debruçou sobre mim, cortando meu suéter com o canivete. Meu corpo tremia, eu não podia fazer nada. Simplesmente chorava e pedia aos céus que aquilo acabasse.

Penetra e tira. Senti nojo de mim.
Penetra e tira. Nojo do meu corpo.
Penetra e tira. Queria morrer!
Ele parecia gostar da minha repulsa, do meu sofrimento. Eu ouvi a voz de mamãe me chamando. Olhei para ela. Nós duas chorávamos.

Tentando me socorrer, ela avançou sobre o brutamontes em cima de mim, então ele a acertou com o canivete na barriga.

Mamãe sangrava e eu chorava.

Mamãe chorava e eu sangrava por dentro.

O brutamontes se satisfez e saiu de mim, sorrindo e se afastando.

— Você é ótima. Com certeza a melhor da lista.

Olhei-o com nojo e fui até minha mãe, abraçando-a com cuidado. Compartilhamos o mesmo choro e a mesma dor.

Dia 15 de agosto, de especial, tornou-se o pior dia de minha vida.

LINDA AMANDA ANDRADE DA SILVA

7.
Julgamentos

"Marina, filha de Joana, é uma vendida! Dá pra todo mundo!"
É o que eles falavam... sem nem conhecer a história.

Marina veio de família grande; oito filhos, cada um de um pai diferente. Também, com uma mãe dessas, não podemos esperar grande coisa. Mas ainda não devemos julgar pelas aparências. O pai? Marina não conhecia. A mãe? Deixou a filha jogada aos quatro ventos. Infância perdida, primeira lição aprendida: a vida para ela não seria fácil. Marina não foi à escola, aprendeu tudo que sabia com a vida. Experiências adquiridas pela imoralidade de uma vida muito mal resolvida.

Marina cresceu, a adolescência chegou, e com a idade chegou o amor. Aquele sentimento bonito sobre o qual se escrevem poemas. Mas devemos lembrar que nem tudo são flores. Marina conheceu um garoto que lhe fez juras e promessas tão bonitas... Ele prometeu a Marina o que ela mais queria. Ela só queria uma família.

Marina engravidou.

"Vai quietar o rabo, sua quenga."

"Olha aí, igualzinha à mãe!"

"Eu tenho é dó dessa criança."

"Grávida? Mas a peste só tem dezesseis anos."

Marina teve o bebê, o pai da criança a abandonou, e o sonho se transformou em um pesadelo. Aquela criança não sabia, mas já havia sido julgada pelo Brasil inteiro.

Marina teve uma menina. Ela odiava aquela criança! "Por causa disso eu perdi minha vida!"

Vida? Que vida? A sua vida já havia sido perdida há muito tempo.

Marina não ligava para a filha, e o povo continuava falando. Ninguém ajudava, todo mundo só falava, e o mundo continuou girando.

"Camila, filha de Marina, é uma vendida. Dá pra todo mundo." É o que eles falavam, sem nem conhecer a história.

HELENA CALLIL TOMEI

8.
Manifesto de cor e dor

Logo quando ela entrou na sala, sua cara foi de completa reprovação. Soube que ali não era seu lugar, e que aquelas pessoas nunca seriam mais do que só pessoas.

Natasha era a única garota negra naquela sala. Seus olhos eram de um castanho amendoado e seu cabelo crespo lhe cairia nos ombros não fosse pelo coque firme, feito desde o primeiro dia.

Ela sabia que, quanto mais quieta ficasse, menos doeria; quanto mais silenciosa fosse, menos a notariam. Então se escondeu por completo na própria sombra, desfrutando da solidão. Olhando carteira por carteira, ela viu que não se encaixava em nenhum dos grupos. E, assim, o foco de toda a sua atenção passou a ser o tempo que faltava para que ela finalmente pudesse ir para casa e voltar a respirar.

Uma menina sorriu para ela. Também estava sozinha, com as pernas cruzadas na carteira e um livro apoiado no colo. Leah. Seus olhos eram verdes e seu cabelo, loiro.

Por mais simpática que tenha tentado ser, seu olhar foi recebido com raiva por Natasha. Raiva de nunca poder ser assim, raiva da pena de Leah disfarçada de gentileza, raiva de sua mãe, que com seu novo emprego a trouxe para esse novo purgatório.

Leah não se ofendeu, apenas voltou a abaixar a cabeça, mergulhando em mais algumas páginas. Para ela, o que seria mais uma pessoa a odiá-la? Já não valia a pena lutar pela simpatia dos outros.

Alguns meses se passaram, e aquela troca de olhares ficou para trás. As duas meninas conheceram outras pessoas, mas ainda se sentiam sozinhas. Um dia, quando todos voltaram para a sala depois do intervalo, as mesas já estavam separadas em duplas, e Natasha e Leah foram colocadas lado a lado. Como duas completas estranhas, cada uma passou o dia vivendo em seu próprio mundo e ignorando todo o resto, tentando fazer o tempo correr mais rápido para, assim, poderem voltar logo aos corredores e fingir que não se conheciam.

— Que livro você está lendo? — perguntou Natasha, e, pela primeira vez, Leah soube como sua voz soava.

— O quê? — Se ao menos Natasha falasse mais alto.

— Eu disse: o que você está lendo? — repetiu a menina, já arrependida de ter puxado assunto.

— Ah... — Leah olhou para as páginas. — *A rainha vermelha*.

— Eu conheço, é um bom livro.

Então, como se um muro tivesse caído, as duas se olharam nos olhos e pela primeira vez se permitiram trocar frases. Leah não era metida a inteligente só porque lia um livro por semana, e Natasha não era arrogante, só não estava confortável. Agora, finalmente elas poderiam parar de se ignorar.

Natasha e Leah não se tornaram melhores amigas instantaneamente, mas passaram a reparar uma na outra, e notaram o que há meses não viam, mesmo com os olhos abertos. A garota dos olhos esmeralda tinha aparência exausta pelo choro e fungava baixo enquanto arredondava a coluna, olhando só para o próprio livro. E a garota dos cachos odiava ver suas notas despencarem. Então, finalmente elas resolveram tentar se ajudar.

— Pare de se cobrar tanto — disse Leah quando as duas receberam as provas. — Não tem problema, vamos estudar mais para a próxima.

— É fácil para você dizer, só tira dez — respondeu Natasha, hesitante. — Queria ao menos uma nota azul, para que eu finalmente pudesse provar algo.

— Provar o quê, afinal? E para quem?

— Para mim mesma, eu acho. Provar que sou capaz de alguma coisa.

— Bom, eu sei que você é inteligente.

— Isso não basta, você não me fará passar de ano.

Leah terminou o assunto dando de ombros.

Uma vez, Natasha disse que não via beleza em si própria, apesar de Leah viver repetindo no ouvido da amiga (que passou a nem escutar mais) o quanto seus cachos eram lindos, mesmo que ela insistisse em prendê--los. O que a fez pensar assim? Como se não merecesse o amor mais puro dela mesma.

— Estou dizendo, você terá de se apaixonar por si mesma antes de gostar de qualquer idiota.

— É fácil para você dizer isso. Basta olhar seu reflexo.

— Por que você diz isso para tudo?

— Isso o quê?

Leah ignorou a pergunta.

— Você fica repetindo como um disco arranhado que as coisas são mais fáceis para mim. Talvez algumas coisas não sejam. — Leah ergueu a voz. — Nem tudo é tão fácil assim para mim. E a menina se encolheu quando sussurrou:

— Algumas coisas doem para mim também. O que Natasha não sabia é que Leah estava vazia por dentro, com um arsenal de sentimentos escondidos no peito, alimentando-se apenas das calorias contadas de sua tristeza. No começo, Natasha teve raiva, queria sacudir Leah e mostrar que há pessoas que passam dias sem ter o que comer. Só que Leah sabia disso, como também sabia que várias pessoas matariam pelo prato de comida que ela recusava, mas o que podia fazer? Sua mente estava quebrada, e ela já não a controlava mais.

— Não sei como você pode falar — Natasha tinha os olhos molhados — que eu deveria me apaixonar por mim mesma, sendo você a maior cultivadora do ódio-próprio.

Leah abriu a boca, mas nada saiu, a água das lágrimas já fervera, suas cordas vocais falharam.

A partir daí, Natasha pôde ver o cristal que revestia a menina sozinha, que desde o primeiro dia havia evitado ser alcançada por qualquer contato, após construir a própria cerca de arame farpado.

As duas se fizeram lindas promessas. Natasha dizia que estaria ali quando Leah acordasse da tristeza e voltasse a sentir vigor. Dizia que valia a pena viver. Leah dizia que elas comemorariam a noite toda quando ela recebesse a nota azul.

Então o tempo passou para as duas, Natasha tirou algumas notas altas no último bimestre, e Leah voltou a sorrir. No último dia de aula, as duas se despediram, comentando sobre como seria o próximo ano.

Durante as férias, Leah viajou, e um dia, enquanto seus pais brindavam com o vinho mais caro, seu celular vibrou sob a mesa anunciando uma nova mensagem, que ela cuidadosamente abriu. Natasha não estaria na escola no próximo ano, a bolsa de estudos lhe havia sido arrancada cruelmente, faltando menos de um mês para as aulas voltarem. Leah sentiu como se levasse um soco no estômago. A única pessoa que havia lhe prometido que estaria ali não poderia mais estar. Como podiam fazer isso com Natasha? Não era justo. Elas não estariam mais juntas, talvez nunca se encontrassem outra vez. Teriam que seguir em frente uma sem a outra.

    Leah tinha certeza de que Natasha, com aquela mente que florescia nos pensamentos mais profundos, iria o mais longe possível e teria uma vida bela, mas que ela, Leah, não estaria lá para ver. Justo ela, que tinha tanto orgulho do que a amiga havia se tornado. Mas Leah não pôde deixar de reconhecer que agora também sentia orgulho de si mesma. E, desde aquele dia em que conversaram, deitava para dormir sabendo que se ela e Natasha não tivessem se sentado juntas na escola por acaso, talvez ela não estivesse viva para admirar esse orgulho que agora sentia.

    Então, criou uma rotina quase religiosa. Sempre sussurrava agradecimentos bem baixinho para Natasha, percebendo que ela não tinha sido apenas sua amiga, mas sua melhor amiga. Natasha salvou-a de si mesma, fazendo Leah parar de temer o inimigo que vivia dentro dela.

    E Natasha pôde seguir sabendo que ainda havia pessoas como Leah, capazes de admirá-la por sua essência. Talvez em seu próximo primeiro dia de aula, ela já conseguisse ir com o cabelo solto.

BEATRIZ ARAÚJO DE OLIVEIRA

9.
Menina de ouro

Eu odeio essas grades.
Odeio essas paredes brancas.
Elas me separam dos meus irmãos.
Odeio ver os homens brancos em cima
dos cavalos e os irmãos pretos andando descalços no chão quente. Odeio esse lugar.

 Toda noite eu sonho com a minha terra. Sinto falta dela. Sinto falta das árvores mais verdes e das raízes mais grossas. Sinto falta da minha mãe. Sinto falta do meu pai. Sinto falta das minhas guias, da minha terra. Toda noite eu as escuto me chamando. Toda noite antes de dormir eu escuto: "Vem, menina de ouro, vem pra casa".

 Todo dia é mais uma luta. Eu e meus irmãos acordamos antes do sol e trabalhamos até a lua se acomodar no céu. A gente sempre para pro almoço, pouco mais que uma tigela com restos da comida dos senhores. Às vezes, a gente para pra pular no rio e tirar o cheiro do trabalho e das correntes. Eu gosto de pular no rio. Lavo do rosto até a alma.

E à noite eu volto a escutar minhas guias: "Vem, menina de ouro, vem pra casa".
Um dia, o homem branco fez a gente trabalhar até mais tarde. Pra quem abrisse a boca contra essa ordem, ele respondia com o chicote. Eu fui trabalhar no milharal. As plantas eram tão grandes e estava tão escuro que eu só conseguia ver minhas guias. Todos esses dias, todos esses meses, todos esses anos. Eu sobrevivi a todas essas lutas, mas chorei ao ver tantas de minhas guias. Chorei de desespero e de dor. Chorei de saudade. Então saí correndo. Pulei a cerca e corri mais ao escutar os gritos do homem branco com o chicote.
Continuei correndo, mesmo escutando aqueles passos cruéis e impiedosos atrás de mim. Então parei no pico mais alto, quando senti o sangue vermelho correr pela minha pele preta e cair no chão verde. Mas fiquei de cabeça erguida até o fim.
Ainda conseguia ouvir minhas guias cantando: "Acalma-te, menina de ouro, estás em casa".

HELENA GARCIA DOS SANTOS SILVA

10.
Solstício

Uma meninota vivia numa rua cheia de garotos mais velhos que ela. Para não ficar só, brincava com os grandes, mesmo sendo mero café com leite. Certo dia, foi brincar de bola com seus amigos e se machucou. Caiu de joelhos e sangrou pouquíssimo. Todos os meninos, acostumados com esses pequenos acidentes, continuaram a jogar, enquanto a garotinha se levantava para chorar no colo da avó. Descrevia a dor como "momentos antes da morte final". Havia certa dramatização, embora a dor já tivesse passado. E o dia também.

No outro dia, a menina foi brincar de novo com os meninões. Enganava-se se pensava que eles queriam brincar com ela outra vez. Para aqueles mini-adultos, a menina fazia muita birra e chorava por nada. Não queriam jogar com crianças. Então ela chorou mais do que no dia anterior e correu mais uma vez para o colo da avó. Tentava falar, mas ninguém entendia o que ela dizia.

O avô, que estava por perto, então olhou bem nos olhos dela e lhe disse:

— Acalma-te, menina. Eu avisei que menina não deve brincar com meninos. Agora eles não querem mais brincar contigo.

A pequena voltou a fazer birra, cada vez mais, sem ninguém entender nada. Foi para dentro de casa, sem olhar para trás. Seus olhos cheios de lágrimas faziam com que enxergasse apenas sua dor. Dessa vez, não só no joelho.

— Minha menina, não chores — disse a avó, numa tentativa falha de consolar a neta. Passados três dias, um dos garotos veio pedir desculpas.

— Vem brincar com a gente. Não precisa chorar. Nós *tenta* ir devagar agora.

E a menina, na janela de casa, gritou bem alto:

— Avisa a eles que não quero mais.

O menino foi embora e avisou os colegas da decisão da menina. Mas o choro dela continuava. Até que a vovó decidiu intervir de vez, contando-lhe uma história.

— Hoje o sol nasceu, mas ontem nem quis aparecer. O céu deixou lembranças e disse que o sol estava chorando. Chorando por não ser valorizado. Chorou porque queria iluminar, mas todos preferiam a escura noite ao grande dia.

A menina, em sua pouca sabedoria, perguntou-se muitas coisas a noite inteira, sem respostas. Passou o dia seguinte tentando entender, até que, quando saiu de casa e olhou para o céu, percebeu:

— Ontem choveu.

A avó notou e continuou:

— Hoje o sol amanheceu e não queria brilhar. Cansou de iluminar e ninguém agradecer, agradar e só a lua admirar.

A garota foi pensando e ligou os pontos: ela não precisava brincar com ninguém. A partir daquele dia, ia brincar só. E foi o que fez. Prosseguiu com a personificação do sol:

— Hoje o sol percebeu que sua independência é real, e sua intensidade não faz mal algum. Hoje o sol percebeu que pode ser feliz sozinho. E foi ser.

No fim da tarde, o avô observava os meninos jogando bola. O time deles perdia, estava em desvantagem. Faltava jogador. Eles estavam angustiados. Olhavam para dentro da casa, com a esperança de que a menina voltasse e jogasse com eles. Ela fazia falta.

Entretanto, a menina estava feliz. Só, mas feliz. O avô então lembrou-se do fim da história que sua esposa começara a contar para a neta, então a concluiu:

— Hoje o sol nasceu e trouxe consigo o amor que só encontrou em si. Hoje a lua notou que precisa do sol, que não o valorizou e o perdeu. O sol viu o arrependimento através da escuridão em que a lua estava, e com toda a sua grandiosidade perdoou-a, pois sua independência não o impedia de ajudar os dependentes.

A menina voltou a brincar com os meninos, muito feliz. E quando terminou o jogo, com a vitória, entendeu que ela era o sol.

TÁCILA FERNANDA BARBOZA VENTURA

11.
Expectativa

Comecei meu primeiro dia de aula em uma nova escola. Estava muito animada e bem ansiosa para começar logo. Antes de entrar na sala, pensei: "Nossa! Vai ser muito legal, vou conhecer pessoas novas, fazer novas amizades e me divertir muito". Pensei também: "Caramba! Minhas novas amigas devem ser muito legais e inteligentes, vou me dar superbem com todo mundo e os professores devem ser ótimos, tenho certeza de que vou gostar muito de todos eles".

Ao entrar na sala, eu já estava muito ansiosa e também muito nervosa. Cheguei e logo avistei uma carteira vazia e me dirigi imediatamente para ela. Ao chegar perto da carteira, um aluno gritou lá do outro canto da sala:

— Esta carteira já está ocupada!

— Ok, obrigada! — respondi.

Fui para outra carteira vazia, do outro lado da sala. Pensei: "Poxa, esta aqui com certeza deve estar desocupada", e me sentei. Logo depois chegou uma aluna, muito bonita e bem-arrumada.

— Será que teria como você me dar licença, por favor? Este lugar é meu — disse ela.

Eu me levantei e fui procurar outro lugar na sala para me sentar. Mas, já que não havia mais nenhuma carteira vazia, fiquei em pé esperando a professora chegar. Passados dez minutos, a professora chegou.

— Boa tarde, turma!

— Boa tarde, professora!

A professora sentou-se em seu lugar, olhou para mim e disse:

— O que você está fazendo em pé?

— Desculpe, professora, mas todas as carteiras da sala estão ocupadas!

— Mas então por que você não foi falar com alguém?

— Professora, não sei se a senhora sabe, mas eu sou nova aqui e ainda não sei de muita coisa.

— Então é você a aluna nova. Pensei que fosse outra pessoa...

Logo me perguntei: "O que será que tem de errado comigo?" Sou uma menina normal como todas as outras. Sou negra, tenho 1,65 metro de altura e também sou uma excelente aluna.

— Ok! Vamos pegar uma carteira para você — disse finalmente a professora. Alguém pegou a carteira, eu me sentei, abri meu material e fiquei quieta no meu canto.

Cinco minutos depois, a professora se levantou e passou um comando no quadro, dizendo que ia fazer uma dinâmica com a gente, valendo cinco pontos para o primeiro trimestre. Ela foi fazendo uma série de perguntas e, sempre que eu levantava a mão para responder, ela passava a minha vez para outros alunos. Assim, eu já tinha perdido cinco pontos para aquele trimestre.

E quando este primeiro trimestre terminou, recebemos na sala o diretor, a pedagoga e a coordenadora para dar uma notícia não muito boa:

— Todos os alunos desta turma ficaram de recuperação. Exceto uma, que se dedicou o trimestre inteiro e passou em todas as matérias com nota máxima. E, por toda essa dedicação, ela foi nomeada a líder de sala. Parabéns pela sua dedicação e continue assim sempre.

E assim terminou o meu primeiro trimestre, sem nunca ninguém imaginar que eu iria passar em todas as matérias com a nota máxima.

ᴗ︎ MIRIAM CAVALCANTE RODRIGUES

12.
A princesa e a pizza

Meu nome é Pâmela Gonçalves, e eu estou prestes a iniciar uma grande aventura: comprar pizza em uma noite de sexta-feira,

sozinha. Para você, pode ser que não pareça um trabalho hercúleo, afinal, estamos falando de comprar pizza, não é mesmo? Não, cara pessoa que lê esta história. Estamos falando de uma série de acontecimentos que compõe a minha própria odisseia, por assim dizer.

Tarefa um:
A princesa tem que lutar contra bravos monstros

Aceitar que estou em casa, sozinha em uma sexta-feira à noite. Arriscaria dizer que essa é uma das tarefas mais difíceis, porque temos que passar por alguns problemas, como o pensamento. Calma aí, não venha você achando que eu estou falando que sou burra e não penso! Estou falando que, quando temos tempo livre demais, isso abre margem para que pensemos muito, e assim tentemos arrumar explicações para as coisas. Dentre outros fatores, não foi isso que fez a filosofia surgir?

    Pois bem, quando a princesa Pâmela pensa demais, isso não cria algo produtivo que busca entender a origem do universo (não em sextas à noite, pelo menos; eu diria que isso é coisa de quartas ou domingos). Pensar demais nas sextas à noite pra mim significa buscar entender o motivo de estar em casa em uma sexta, à noite, sozinha e com fome. Tudo isso desenterra problemas há muito esquecidos, que estavam enterrados no fundo da mente da princesa: "Por que eu não consigo arrumar um príncipe? É o jeito como me visto? Por que eu quero um príncipe? Eu não sou uma pessoa autossuficiente? Será que assumir meu cabelo natural foi uma boa ideia? Eu deveria perder peso? Será que eu estou pensando em trabalhar na carreira certa? E se eu morrer de fome? Como posso ajudar alguém se eu não consigo me ajudar? Será que meus amigos gostam de mim realmente ou é só conveniência?" E muitas outras perguntas que não relatarei aqui, por sentir que a tristeza, a insegurança e a necessidade de consultar um psicólogo podem chegar (apesar de que isso, na verdade, faria muito bem à saúde mental da princesa).

    Com essas perguntas em mente, a princesa Pâmela chega à conclusão de que, na verdade, ela está se cobrando por coisas com as quais talvez não se importe tanto, mas que são importante para os outros e ela está se deixando ser afetada pelo que os outros pensam dela. Como disse algum grande filósofo contemporâneo anônimo: "O que vêm de baixo não me atinge". Significando que alguém inferior a ela (uma pessoa que critica a aparência das outras ou que bota o nariz onde não é chamada, por exemplo) não a atingiria. Infelizmente a princesa não usa muito tal expressão, por ter apenas 1,50 metro de altura. Além disso, ela vê que não há problema algum em querer ter um príncipe, assim como não há problema algum em não querer ter. E também chega à conclusão de que precisa mesmo de um psicólogo.

Tarefa dois:
A princesa precisa escolher com que roupa vai ao baile e luta contra o dragão da dúvida

Após a luta contra os próprios monstros, decidir com que roupa sair é uma tarefa bem mais fácil. Agora, vamos dar uma olhada no vasto vestuário da princesa. Aqui temos uma blusa grande que ela usa para ficar em casa. E aqui temos uma blusa grande que ela usa para ficar em casa. E aqui temos uma blusa grande que ela usa para ficar em casa. E... OLHA O QUE TEMOS LOGO ALI! Um vestido que ela usa para ficar em casa! Bem, acho que você já percebeu que ela tem bastante roupa de ficar em casa, consequentemente chegamos à conclusão de que ela passa muito tempo em casa, e é exatamente por isso que decidiu que precisa sair hoje. Não, não vou a um baile, mas sim à pizzaria da esquina, como você já deve saber, pois lhe foi contado no início desta história.

Continuando com as roupas do humilde guarda-roupa da princesa, tirando as roupas que não usaria para sair e as roupas que não usaria para sair sozinha (saias, shorts de praia e afins), restam duas calças, sete blusas, alguns shorts e alguns vestidos de festa. Decidida a sair usando algo bonito mas simples, escolhe uma calça e uma camisa preta. Percebendo que morreria de calor, pois mora em pleno Rio de Janeiro, repensa a calça e a camisa preta. Decide sair com um short jeans que não é rasgado (eu espero os meus adquirirem rasgos com o tempo, pois me recuso a pagar mais por menos roupa. Tipo, qual é a lógica? E ainda ganho uma peça única.) e uma camisa do Harry Potter, pois a princesa aqui também é uma bruxa.

Tarefa três:
A princesa precisa enfrentar fantasmas enquanto protege a semente que plantou há pouco para que saísse do castelo

Sair de casa. Sair de casa. Sair de casa. A chave para alcançar os objetivos é mantê-los sempre em mente enquanto os perseguimos com coragem e determinação. Mas calma lá! Não é tão fácil quanto parece, senão todos nós já estaríamos realizados e milionários antes de completarmos o ensino médio.

Há dois grandes vilões, que são meus velhos conhecidos e me impedem de fazer muitas coisas: a preguiça e a procrastinação. Você pensa que os derrotou quando se levantou do sofá para finalmente fazer algo de útil, mas NÃO. A procrastinação a bajula, a sua cama lança um olhar sedutor, e quando você menos espera... BUM, lá está você, deitada, mexendo no celular, como se nunca tivesse saído da cama. Aí, contrariando a preguiça e todas as expectativas, você consegue se levantar da cama e do nada BUM!, se joga no sofá, maratonando aquela série que você estava enrolando para ver porque não quer que acabe. E assim sucessivamente. A procrastinação a derruba, a preguiça a impede de levantar. Óbvio que se o seu objetivo for pelo menos um pouco mais grandioso do que, sabe, sair de casa, outros obstáculos podem aparecer, como o dinheiro, a falta de tempo, preconceitos etc.

Mas nessa casa começamos pequeno para ir crescendo aos poucos! Eu começo saindo de casa sozinha após cultivar a semente da coragem e enfrentar os fantasmas da procrastinação e da preguiça e amanhã, quem sabe?, posso virar presidente. E tudo isso porque me levantei do sofá pra comprar pizza em uma deprimente noite de sexta-feira!

Tarefa quatro:
A princesa luta contra o monopólio de grandes franquias enquanto atravessa o vale da morte

Após criar coragem para tirar a bunda do sofá e finalmente fazer algo de útil para a sociedade — pensa bem: alimentando-me eu crio energia para trabalhar, trabalhando eu ganho dinheiro, que eu posso investir na bolsa de valores, e assim repassar o dinheiro que eu vou ganhar das ações para as ONGS que precisam, fazendo o dinheiro retornar para a sociedade. Viu? Você, leitor ou leitora, deveria me mandar comida. Eu sou a base da sociedade!

Caminho bravamente em direção à pizzaria mais bonita e bem recomendada, então me deparo com um inimigo: o preço. Não importa pra onde eu vá, sempre há obstáculos, mas eu atravessarei o vale da morte das contas bancárias com a cabeça erguida e sem distrações! Mas o livro daquele sebo é tão bonito... Não, não, não, Pâmela, FOCO!

Acho que não mencionei, mas você deve ter notado que eu ainda estou no ensino médio. Nas férias, mais precisamente devido à quantidade de tempo livre que eu tenho, assim, presumo que o mais seguro para a carteira dos meus pais fosse que eu pedisse a pizza da pequena pizzaria que tem na rua atrás da nossa casa, onde, por apenas dez reais, podemos ter uma experiência gastronômica diferente da dos grandes restaurantes! Vou até a rua de trás e peço duas pizzas para viagem.

Tarefa cinco:
Regressar da aventura

Essa com certeza é a mais fácil de todas. A corajosa princesa só tem que voltar para o castelo. Com duas pizzas. Sozinha. Fácil, se ela não fosse uma das pessoas mais desastradas do mundo. Eu faço lambança até bebendo água! Tudo bem, só uma rua. É só atravessar. Nada de mais, é só desviar de cocô de cachorro de um lado, desviar de gente mal-educada, que parece que não se liga que a princesa aqui está com duas pizzas na mão, desviar de um bêbado que está passando... Pronto! O retorno ao castelo foi realizado com sucesso! Agora é só comer a pizza e... Ah, não. Eu esqueci o ketchup!

MARIA BEATRIZ ALVES DA SILVA

13.
Dandara

Seu nome era Dandara. Quando sua mãe lhe apresentou pela primeira vez o significado do seu nome (princesa guerreira), Dandara se deu conta de que precisaria cumprir com o que ele dizia. A partir do momento em que nasceu, se submeteu a uma luta diária na qual precisaria empregar todas as suas forças, até o seu último suspiro. Não é algo que se escolhe, é mais uma daquelas responsabilidades que a vida nos dá sem avisar, e não temos a menor pretensão de saber como vamos lidar com elas.

Dandara se sentia atraída com muita facilidade a simplesmente tudo. Todas as coisas ao seu redor lhe cativavam, principalmente quando se tratava de pássaros. A liberdade deles a impressionava, mas a falta dessa mesma liberdade na vida deles a angustiava.

Algo que lhe chamava a atenção sobre os pássaros era a agilidade com que as fêmeas efetuavam qualquer tipo de trabalho com autonomia, sem contar com nenhuma manifestação dos machos. Algo que Dandara acreditava que ainda aconteceria com ela.

Em uma tarde ensolarada de dezembro, Dandara estava em sua casa quando de repente ouviu um som vindo da cozinha. Então se deparou com a mãe conversando com seu irmão e logo percebeu o que estava ocorrendo. Decidiu interferir na conversa, e foi logo cortada.

— Mas por que eu não posso fazer nada?
— Não venha, você é...

Dandara não conseguiu se conter diante daquela situação, e se adiantou à fala da mãe:

— Eu sou mulher? E por isso eu sou menos do que um homem? Ser mulher me torna vulnerável?

Dandara tinha quase a mesma idade que o irmão, mas não podia repetir as mesmas ações dele, ir para os mesmos lugares e muito menos se relacionar com quem sentisse vontade. Já o irmão tinha liberdade suficiente para fazer as próprias escolhas.

Infelizmente a conversa não resultou em nada...

Dandara decidiu sair um pouco para espairecer, por mais que a mãe insistisse em não deixar.

Para não ter muitos tormentos, cumpriu os afazeres de casa, já que era essa a única ação que sua mãe demonstrava valorizar.

Logo depois, pôs-se a se arrumar. Até que se pegou pensando: "Não posso usar esta roupa, vou chamar muita atenção". "Preciso ser mais feminina, ninguém vai gostar de mim assim." "Preciso de companhia para ir."

Olhou-se no espelho e continuou: "Eu não sou o que pensam que sou... muito menos o que querem que eu seja. Não posso abaixar a cabeça, pelo menos não agora. Quero ter na memória lembranças que construí sozinha. Ter a autonomia assim como um beija-flor fêmea tem.

Quero ter a liberdade de voar, admirar as minhas flores mais desejadas, sem que algo maior me impeça e acabe atrapalhando meus desejos e aventuras. Quero a liberdade de voar sozinha. Quero construir meu próprio caminho, trilhar caminhos que jamais foram trilhados. Quero ser livre como um pássaro, poder seguir meus próprios ideais, ver que não são iguais aos que querem que eu siga. Sentir uma felicidade rebelde por não agir de acordo com as expectativas que têm de mim, mas de acordo com minha própria felicidade. E se minha felicidade for voar para bem longe, que seja! Estou me salvando de tudo isso em legítima defesa".

Dandara decidiu se vestir de coragem, calçar o ânimo, se encharcar de bravura e se encher de si mesma. Desprendeu-se de tudo o que lhe fazia mal naquela noite, mas infelizmente não do que havia no mundo.

Pensamentos machistas ainda existiam, pessoas más também, e havia quem misturasse um pouco dos dois, o que era lamentável. E uma dessas pessoas cruzou o caminho de Dandara naquela noite. Ela ouviu um assobio que não era dos pássaros.

Assobio que não a deixava encantada ao ponto de passar horas ouvindo.

Assobio que não a deixava alegre.

Ouviu passos que não eram dos pássaros.

Ouviu barulhos, mas não eram apenas pássaros batendo as asas.

Sem sombra de dúvida, agora Dandara se sentiria em sua infinita plenitude, sendo quem sempre foi, com os ideais que sempre teve, voando bem longe, e sendo livre como um pássaro.

/ LUANA LIRA

14.
Alice no país da sororidade

Alice Torres havia perdido a crença na humanidade.
A garota não sabia mais o que fazer.

Depois de tudo que havia acontecido, estava sem reação.

Olhando para a parede de seu quarto, o único pensamento que pairava em sua cabeça era como contaria para a mãe que não queria mais ir para a escola. Ela tinha certeza de que a mãe reagiria de uma forma ou outra: 1) ou entenderia tudo e passaria a mão na cabeça da menina, dizendo que o que tinha acontecido não era culpa dela; 2) ou surtaria e gritaria para os sete ventos que Alice não sairia daquela escola nem com um mandado judicial.

Alice sabia que a reação 1 era só o seu subconsciente tentando convencê-la de que Dona Ester talvez não a matasse, mas tinha certeza de que era apenas uma farsa. O surto da mãe era um fato. Só restava saber quando isso ocorreria. Seria quando o colégio ligasse dizendo o que todos estavam falando por aí, que sua filha era uma vadia, ou quando a própria Alice declarasse seu erro e tentasse pedir desculpas?

O papel de parede com a temática de Alice no País das Maravilhas, personagem que havia inspirado o nome da menina, nunca havia sido tão interessante. A garota o encarava com foco suficiente para não apenas esquecer seus problemas, mas também para chegar a um ponto em que ela conseguisse entrar na história, cair por um buraco no chão e chegar a um lugar onde suas fotos não estivessem coladas por todo o colégio. Um lugar onde o amor parecesse real, onde seu ex-namorado não tivesse acabado com a dignidade dela apenas por ser vingativo, estúpido e por saber que sairia impune da história.

Alice sempre fora uma garota muito forte. Tinha encarado um dia de cada vez depois do término do relacionamento tóxico de três meses com Gabriel. No começo do namoro, tudo era perfeito, até que o ciúme de seu ex passou a ser um problema enorme e, no dia em que Gabriel socou com raiva a parede, bem ao lado dela, Alice percebeu que aquilo não estava certo. Passou horas e horas pensando no que poderia ter acontecido se tivesse sido ela a levar o soco, e não a parede. Alice já não tinha muitas amizades antes do namoro, todos os amigos que tinha eram amigos de Gabriel também. Quando os dois terminaram, ela ficou sozinha e abandonada.

Nos últimos dois meses desde o fim do namoro, a vida não havia sido fácil. Todos dizem que a superação não é difícil, mas sempre é, na realidade. Alice ainda pensava que talvez ela pudesse voltar, que, se realmente a amasse, Gabriel mudaria por ela. Tudo isso ruiu naquela quinta-feira pela manhã.

Assim que acordou, a menina sentiu que talvez aquele não fosse um dia bom, havia um clima estranho em tudo. Sua mãe havia mandado uma mensagem falando que o retorno da viagem havia sido adiado para terça-feira, ou seja, a menina passaria mais um fim de semana sozinha. Já não era mais novidade. Quando chegou à escola, as pessoas a encaravam com malícia. Foi naquele momento que Alice achou que havia algo estranho. Nunca notavam a presença dela, só quando estava com Gabriel e, mais do que isso, nunca a encaravam daquela forma.

Seguiu andando pela escola, até que chegou ao corredor onde ficava sua sala. O pânico começou a subir por seu corpo. O lugar inteiro, do começo ao fim, estava cheio de fotos suas, printadas de um vídeo em que transava com Gabriel. Alice tinha certeza da procedência daquelas fotos, porque havia sido uma das únicas vezes que fora à casa do ex e, naquele dia, tinha transado com ele pela última vez.

Logo na entrada do corredor, todos desviaram o olhar das fotos e voltaram a atenção para ela. Ao sentir aqueles olhares, Alice começou a chorar. Não sabia se as lágrimas eram de tristeza ou apenas de raiva. Talvez fosse tudo misturado. Ela não conseguia mais respirar e saiu correndo. Ter crises de ansiedade não era algo novo — em condições gerais, ela sabia lidar com esses ataques —, mas naquele momento suas sinapses não funcionavam mais.

Alice sempre se gabava de morar perto da escola, pois se esquecesse de algo poderia buscar em casa rapidamente. Mas, naquela quinta-feira de manhã, bem antes das oito horas, ela sentia seus pulmões reclamarem do quão longe ainda estava de casa. Parecia correr uma maratona completa com três quilômetros a nado ainda pela frente.

Chegou em casa e se jogou na cama. Até as 19h, não se mexeu para nada. Não foi ao banheiro, não comeu, não tinha certeza se estava respirando direito. Talvez, ela pensava, se virasse um vegetal, não precisasse lidar com todos os problemas de sua vida. Mas aparentemente isso não era uma escolha.

Gabriel nunca pareceu ser um bom garoto, e era por isso mesmo que ela tinha se apaixonado, mas, ainda assim, não acreditava que ele tinha feito aquilo. Não entrava na cabeça de Alice que Gabriel tinha sido tão baixo a ponto de divulgar imagens em que ela aparecia nua, apenas porque ela tinha dito que não queria voltar com ele na semana anterior. Também não acreditava nos olhares maliciosos que recebera no colégio. Ela ainda não sabia como havia sido a repercussão daquela exposição degradante, mas tinha certeza de que todos tinham visto, e pelo visto ninguém saíra arrancando tudo para evitar a exposição não consentida de uma garota menor de idade. A jovem Alice Torres nunca pensara passar por uma situação dessas. Ela sempre tivera empatia pelas garotas cuja dignidade foi violada na internet, mas nunca se sentira tão próxima da causa.

Pela primeira vez na vida, Alice sentiu na pele o que era a objetificação de corpos femininos.

Pela primeira vez na vida, Alice sentiu-se um lixo que não era digno nem de ser descartada.

Pela primeira vez na vida, Alice sentiu-se impotente e sem saber o que fazer.

Com a cabeça nos travesseiros, a jovem Torres começou a pensar no que deveria fazer no dia seguinte. Ir à escola ou não? Fingir que nada aconteceu e tentar se tornar mais invisível do que já era? Desistir da sua vida escolar, pegar um avião e se mudar para qualquer canto do mundo, mesmo tendo apenas dois reais na carteira? Nenhuma opção era plausível, e também nenhuma parecia suficiente para trazer sua dignidade de volta.

Ao mesmo tempo que esses pensamentos de autodestruição rondavam sua cabeça, Alice não conseguia deixar de pensar que não podia permitir que

Gabriel destruísse sua vida acadêmica daquela forma. Ele podia ter acabado com o amor-próprio da garota, com sua possível vida social, mas ela não deixaria que ele acabasse com seu futuro promissor. Ela não estava prestes a se formar com louvor para ser derrubada antes da linha de chegada. Faltava um mês para o final das aulas, ela poderia aguentar para desabar depois, para decidir até se mudar de cidade, frequentar uma faculdade longínqua. Foi com essa decisão, de não negligenciar seu último mês de aulas, que Alice encontrou calma suficiente para dormir.

A menina Torres podia até ter pensado e decidido o que faria no seu último mês na escola, mas era tudo teoria. Na prática, mesmo antes de pôr os pés novamente no enorme prédio da escola, podia se imaginar reparando nos alunos se cutucando para avisarem da chegada dela.

Naquele primeiro dia depois da exposição, a menina chegou a pensar em desistir. Talvez recomeçar no dia seguinte fosse uma opção mais inteligente. Era possível que fosse melhor dar um tempo para que as más línguas do colégio parassem de tratá-la como a pauta principal. Porém, quando já estava virando de costas para sair do pátio frontal da escola, Alice sentiu alguém entrelaçar a mão na sua.

— Levanta a cabeça agora. Nós vamos atravessar tudo isso juntas até a diretoria — disse uma voz feminina baixa, mas extremamente firme, e ainda desconhecida. Alice levantou os olhos para tentar descobrir quem falava com ela e encontrou uma menina negra, com a pele só um pouco mais clara que a sua, de altura mediana, que ostentava uma expressão confiante.

— Quem é você? — perguntou a jovem Torres à garota estranha.

— Isabel Benedito, sua nova melhor amiga e protetora nesse inferno — respondeu a menina, com a mesma voz firme. Ela então saiu puxando Alice, antes que esta pudesse dizer qualquer coisa.

No caminho até a diretoria, as meninas precisaram passar pelo corredor onde as fotos proibidas haviam sido expostas no dia anterior. Alice não queria passar por lá, mas como não teve escolha, decidiu cobrir os olhos. Por uma fresta entre os dedos, pôde ver cartazes coloridos cobrindo as paredes e achou estranho. Então, decidiu olhar de vez. O tamanho da sua surpresa ao ver as frases estampadas nos cartazes foi enorme.

CORPO DE MULHER NÃO É OBJETO PARA SER EXPOSTO.
EXPOSIÇÃO DE FOTOS ÍNTIMAS SEM CONSENTIMENTO É CRIME!
ESTAMOS TODAS JUNTAS, NINGUÉM VAI SAIR IMPUNE.
NINGUÉM SOLTA A MÃO DE NINGUÉM.

— Quem fez tudo isso? — perguntou Alice, embasbacada.

— Nós, do coletivo feminista da escola, é claro — respondeu Isabel, calmamente. — Não precisa agradecer, sinceramente. Nós só fizemos o que esperávamos que fizessem por nós se estivéssemos na sua situação.

Alice ainda não conseguia entender o que estava acontecendo. Sem resistência, Isabel continuou puxando-a até entrar na pequena sala do diretor sem bater na porta. Havia um grupo de mais de dez meninas apertadas lá dentro, em silêncio.

— Alice Torres, nossa menina de ouro! — começou o diretor Albuquerque. — Soube o que aconteceu ontem com você e gostaria de dizer que já estamos tomando as medidas legais. Gabriel vai ser processado e, muito provavelmente, precisará pagar uma multa por danos morais, além de já ter sido expulso da escola.

O diretor deu todas as informações rápido demais, como se as tivesse decorado, e, por fim, olhou para Isabel, que continuava perto da porta.

— Só isso? — inquiriu Isabel.
— Não, claro que não! — respondeu ele.
Alice pensou que estava ficando louca, mas sentiu uma pontada de medo na fala do diretor.
— Vamos instaurar uma campanha sobre as consequências do vazamento de fotos íntimas para todos os alunos da escola. E todos vão participar de atividades relacionadas a esse tema.
Isabel deu-se por satisfeita e disse um rápido "Obrigada pelo seu tempo", antes de sair puxando Alice novamente pela mão da qual não havia soltado em nenhum momento.
— O que foi tudo isso? — perguntou Alice, perdida, a todas as meninas que se aglomeravam à sua volta.
— Nós ficamos muito revoltadas com o que aconteceu ontem com você. Começamos a arrancar as fotos das paredes assim que vimos e, quando íamos colar nossos cartazes de apoio, o próprio diretor apareceu no corredor dizendo que não podíamos fazer aquilo — explicou uma garota ruiva. — Então a Isabel aproveitou aquele momento e começou a gritar com ele, falando que, se podiam colar fotos íntimas de estudantes menores de idade nas paredes e não cartazes de revolta, ela denunciaria a escola para a ouvidoria pública.
— Nunca vi o Albuquerque com tanto medo — acrescentou uma outra menina, rindo.
Alice então olhou para Isabel, que acompanhava tudo ao seu lado, com um sorriso orgulhoso no canto dos lábios.
— Como os dois estavam fazendo um escândalo no corredor, o diretor levou Isabel para a sala dele. Ficaram lá por horas e, quando ela saiu, estava com um sorriso vitorioso por ter conseguido que ele concordasse com todas as ideias dela — completou mais uma desconhecida.

Naquele momento, Alice não soube o que fazer. Não sabia se chorava ou se começava a abraçar cada uma daquelas garotas de quem nunca tinha notado a existência. Não sabia se saía correndo ou se continuava estagnada, só processando tudo.

Alice só sabia de duas coisas: 1) agora tinha amigas de verdade, ou melhor, irmãs. Que realmente a protegeriam e estariam sempre lá para apoiá-la; 2) só agora entendia o significado da sororidade.

Naquele momento, Alice Torres retomou sua crença na humanidade.

ANA LUIZA GONZAGA DO CARMO

15.
Ana Cecília

Passar as férias na casa da minha tia definitivamente não foi uma boa ideia. Aqui, a primeira coisa que faço quando acordo é pegar o celular, porque é o único jeito de fugir do caos que a minha tia faz em casa logo pela manhã. Ela sempre acorda reclamando da vida, xingando o repórter do jornal das oito ou gritando comigo pra avisar que vai sair. Eu fico pensando: "Será que ela não pode escrever um mísero bilhete e colar na geladeira?" Óbvio que pode, mas prefere fazer da minha vida, ou melhor, de nossas vidas, um inferno.

    Hoje pela manhã, ainda de olhos fechados, comecei a pensar no café que eu tomaria com a Duda. Precisava que a grosseria da minha tia não me atrapalhasse a sair de casa e a, finalmente, conhecer pessoalmente a garota responsável pelos meus sorrisos.

    Comecei a lembrar de quando Duda e eu nos conhecemos. Era algum dia de agosto, eu ouvia "Rostos" da Natália Carreira enquanto tomava banho, e a reprodução automática colocou um *cover* pra tocar. Lá estava Duda Fortunato, com uma voz tão encantadora que até me apressei no banho pra dar a devida atenção. Era incrível como ela cantava aquela música triste com uma energia tão boa, os sorrisos entre os versos cativaram em mim uma vontade gigantesca de conhecê--la. E essa vontade só aumentou quando eu descobri que, pelo menos, morávamos no mesmo estado: Minas Gerais. Quanto mais eu assistia a seus vídeos e via suas fotos, muitas com uma bandeira LGBT no fundo, mais eu me atraía por ela.

Comecei a rir quando me lembrei do dia em que, sem pensar direito, mandei uma mensagem pra ela no *direct* do Instagram. Pulei pra lá e pra cá quando ela respondeu, porque foi muito rápido, e eu não esperava por aquilo. Daquele dia em diante, não paramos de nos falar. Conversávamos muito sobre arte, ela me mostrava algumas músicas autorais e eu mostrava uns poemas meus. A primeira vez que isso aconteceu foi assim:

— QUE COISA MAIS LINDA, Ceci!

— Não tanto quanto suas músicas, hahaha!

— Olha, se as minhas músicas forem incríveis como seus poemas, então eu sou muito boa em compor!

Sorri como uma boba me lembrando das nossas conversas, sempre tão aconchegantes. Até mesmo quando conversávamos sobre assuntos mais sérios, como as brigas constantes entre a minha tia e as minhas mães, Duda conseguia me arrancar sorrisos e gargalhadas.

Acho que a gente tem se dado muito bem. Do contrário, ela não teria convencido sua avó a trazê-la até a minha cidade pra gente se conhecer pessoalmente. Sim... a avó. Ela passa as férias com Dona Ester porque seus pais trabalham muito em uma agência de viagens, mas isso nunca foi um problema pra ela. Já eu, não aguentava mais estar longe das minhas mães.

Atrapalhando meus pensamentos, uma voz familiar ecoou pela casa:

— Que música é essa? — Tia Jovalina estava na porta do quarto, com meu celular na mão.

A música "Campos" tocava já no refrão: "Ô menina, deixa disso! Eu quero tanto te vivenciar, e vê se para de me complicar..."

— Ferrou — falei, sem pensar direito, me arrependendo logo depois.

— Ainda bem que você sabe!

Fiquei nervosa, com medo, não sabia o que ela estava pensando, nem o que tinha visto. Tia Jovalina continuou:

— Ana Cecília, você vai me explicar direitinho por que essas músicas falam sobre garotas. Sobre ga-ro-tas! E não sobre meninos.

Fiz silêncio, comecei a pensar que não era a primeira vez que ela fazia coisa do tipo. Por isso, eu não podia mentir de novo. Ela saberia, o castigo seria duro e... eu não aguentava mais fingir. Tia Jovalina franziu a testa e continuou:

— Você acha que me engana, mocinha? Está muito enganada! Quem canta é uma mulher, para outra mulher, pode ir falando a verdade.

Meus olhos lacrimejaram, teria que revelar o meu segredo mais profundo e... O que aconteceria depois?

— Ana Cecília, eu vou contar até três! — Tia Jovalina estava perdendo a paciência.

Seria agora o momento certo pra dizer? Não importava tanto, ela estava no "dois e meio", então arrisquei:

— Quer saber, tia Jovalina? Quer saber? Eu... eu...
— Abaixei a cabeça, respirei fundo e me lembrei de todas as vezes que a minha mãe discursou sobre como era

importante que eu fosse verdadeira, comigo mesma e com as pessoas.
— Você não me respeita? Eu já acabei a contagem! — Tia Jovalina estava uma fera.
Resolvi botar pra fora o que me engasgava:
— EU SOU UMA GAROTA QUE BEIJA GAROTAS. A SENHORA ACEITANDO OU NÃO, VOU BEIJAR UMA GAROTA, VOU VIVER COM UMA GAROTA, VOU ME CASAR COM UMA GAROTA. A SENHORA ACEITANDO OU NÃO! PORQUE... PORQUE ISSO NÃO MUDA, NÃO MUDA!
Suspirei.
— Eu nem mesmo acredito nessa possibilidade. — Tia Jovalina parecia desapontada. — Você vai agora para o seu quarto e só vai sair quando tirar essa ideia ridícula da cabeça. Ouviu, Ana Cecília de Barros Mota?

Ela nem precisava ter falado meu nome completo pra eu saber que a coisa era séria, mas fez questão de falar, pra que eu ficasse com mais medo ainda. Confesso que estava funcionando, mas, ao mesmo tempo, uma sensação de liberdade tomou conta de mim. Senti alívio.

Fechei a porta do quarto e quis chorar, mas comecei a rir. Eu estava orgulhosa de ter tido coragem. Me sentei na cama, encarei meu rosto no espelho redondo de moldura branca e comecei a pensar no que eu faria dali pra frente, já que tia Jovalina só me deixaria sair quando tivesse certeza de que eu não me apaixonaria por garota nenhuma. Pensei na possibilidade de enganá-la, mas logo percebi que colocar toda a minha verdade por água abaixo não era uma boa ideia. Afinal, eu havia batalhado muito pra conquistar essa liberdade que agora me parecia acessível.

Então, o que eu faria? Com certeza tia Jovalina esperava que eu a obedecesse, que eu só saísse do quarto pra comer e ir ao banheiro. "Talvez eu devesse desafiá-la!", pensei.

Ela estava tão acostumada com a minha submissão perante suas ignorâncias que nem se atreveu a trancar a porta por fora.

"Tá aí! Vou a esse encontro. Jovalina vai ficar muito nervosa, mas não me importo. Eu não vou conquistar minha liberdade se continuar parada nesse quarto", disse a mim mesma, confiante.

Assim fiz. Peguei minha jaqueta jeans, a garrafinha amarela, o canudo de metal, dez reais, e... o tablet! Abri um sorriso. Tia Jovalina não havia confiscado o aparelho cheio de músicas de mulher pra mulher. Peguei o fone, coloquei tudo dentro da mochila e saí pé ante pé, com o meu tênis amarelo e meu vestido azul-marinho.

Quando pisei pra fora do quarto, percebi que tia Jovalina estava dormindo, porque o barulho de trator que ela fazia ao roncar ecoava pela casa. Tampei a boca pra não rir, girei devagar a chave na porta e, percebendo que era a minha, guardei comigo. Fechei a porta novamente. Ufa! Já estava no quintal. Andei até o portão, abri o cadeado, fechei novamente e saí correndo pela avenida, até olhar pra trás e não ver nenhum vestígio de uma casinha azul-clara com girassóis e margaridas na entrada — quer dizer, até não ver a casa dela.

Parei pra respirar, olhei no relógio e já eram cinco para as seis, corri mais um pouco e...

— Ceci?! — perguntou Duda, espantada, como quem não acreditava no que estava vendo.

Dei um sorriso tímido e balancei a cabeça pra confirmar.

— Mal posso acreditar que esse dia chegou! — falou Duda enquanto me abraçava, permitindo que eu sentisse o cheiro agradável do seu xampu.

Eu estava... encantada.

— Você é tão linda! Olha esses cachinhos azuis! Combina com seu vestido. E que jaqueta incrível! Foi você quem bordou essas flores?

Parecia que Duda estava encantada também.
— Fui eu, sim. E eu... eu amei os seus cachos ruivos. Já te falei que as sardinhas são um charme?
Duda sorriu. E isso foi o suficiente pra me fazer perceber que eu estava mesmo apaixonada. Ela pegou a minha mão e me levou para a mesa onde estava sua avó. Na hora morri de medo, temendo não causar uma boa impressão, mas Dona Ester logo disse:
— Ouvi muito sobre você! — E, percebendo minha timidez, continuou: — Vem cá, não se acanhe... Assenta aqui no meu lugar, eu vou buscar um cafezinho.
Duda começou a falar sobre os poemas que eu tinha compartilhado com ela naqueles quatro meses de conversa pelo WhatsApp.
— Então... quer dizer que você realmente gosta deles? — perguntei.
— Bobinha! Por que eu não gostaria? Você escreve muito bem, deveria postá-los em algum lugar — me encorajou ela.
— Por que eu faria isso?
— Sei lá, sempre tem alguém pra alcançar.
Ela tinha razão.
Já eram oito horas. Dona Ester saiu pra buscar o vigésimo cafezinho e dessa vez ficou mais de meia hora por lá. Eu e Duda conversamos sobre artistas independentes que nos inspiravam, todas mulheres que beijavam mulheres.
— Essa é a minha preferida — falei enquanto colocava "Pertencer" pra tocar. "Vai, vai sem mim, mas vê se tem cuidado, mas vê se vai pensando em mim..." Duda ouvia atenta, até que resolveu zoar um pouco:
— É a primeira vez que me dispensam com tanta classe!
— Boba! Por mim você ficava aqui... pra sempre. — Tentei zoar também, mas meu coração falou mais alto.

Chegamos ao refrão: "Pertencer não é questão de dono nem lugar, é uma questão de onde você quer estar. Pertencer não é questão de dono nem lugar é só... amar".
Duda franziu a testa enquanto refletia sobre o que tinha acabado de ouvir.
— Você sente que pertence a isso aqui? — perguntou, encarando meus olhos castanhos.
— Como assim?
— Você sente que pertence a esse momento que a gente tá vivendo? — explicou Duda.
— Eu sinto que... que não tem lugar que eu goste mais de estar do que perto de você.
— Eu queria poder estar perto. Pra cuidar de você, sabe? — Duda parecia triste.
— Você sempre vai estar aqui. — Tentei ser otimista.
— Como assim?
Fiz sinal de silêncio pra que ela pudesse ouvir o refrão. "E no momento em que você me olha eu me lembro que nós pertencemos ao sentimento que construímos."
Surpresa com a semelhança entre a música e a nossa conversa, Duda disse em meio a sorrisos:
— Eu gosto de pertencer a isso que a gente tem.
Meu coração canceriano não estava preparado pra descobrir que o sentimento era recíproco, embora suspeitasse. Sem saber como agir, sorri de volta e senti minhas bochechas corarem. Duda tentou aliviar a tensão:
— É doido, né? Receber de volta o que a gente planta quando essa coisa é...
— Amor? — completei.
Pude ver seus olhos verdes brilhando, realçando ainda mais seus cachinhos ruivos, que agora estavam mais perto. Passei levemente minha mão pela sua franja, colocando-a para trás, deixei que a minha mão repousasse em sua nuca e, como sinal de conforto, Duda puxou lentamente minha cintura. Agora tudo estava mais perto, nossos lábios

também. Eu já não sabia mais o que acontecia ao redor e nem me importava, o agora era o suficiente. Afinal, eu não estava apenas beijando uma garota, eu estava beijando a garota por quem me apaixonei... E era recíproco.

Abrimos os olhos devagar, a música se despediu com o último verso: "Pertencer não é questão de dono nem lugar, é só..."

— Amar, amar, amar... É importante, não é mesmo? — Dona Ester interrompeu o clima desajustado de nossas emoções. — Eu sei... Mas precisamos ir, Duda.

Olhei para as horas no tablet, eram nove horas e dez minutos! Será que tia Jovalina ainda estava dormindo? Por que até agora não havia me procurado? Duda interrompeu meus pensamentos oferecendo uma carona até em casa:

— Te deixamos lá, posso até dar um alô pra sua tia! O que acha?

Eu precisava ser verdadeira, então disse:

— Duda... Ela... Ela não reagiu nada bem ao saber da minha sexualidade. Tia Jovalina vai precisar de um pouco mais de tempo.

Duda tentou falar, mas Dona Ester interrompeu:

— Sentimos muito. Já tinha dito à Maria Eduarda que seria interessante se vocês passassem o Natal com a gente...

Um silêncio absurdo tomou conta de nós três. Eu refletia sobre como Duda tinha sorte de passar as férias com a avó dela, uma senhora muito à frente de seu tempo. Senti vontade de chorar ao lembrar da minha mãe e da minha madrasta. Eu não precisava esconder nada delas.

Lembrei do momento exato em que elas me disseram que a Prefeitura de São Paulo queria seus grafites em alguns prédios da avenida Paulista e que, por isso, eu teria que passar as férias com a minha tia. Elas sabiam que seria difícil, mas ela era a única pessoa da família que ainda morava no Brasil, e não teria como eu ir para São Paulo, porque elas ainda não tinham amizades por lá.

    Duda quis chorar quando percebeu as lágrimas em meus olhos, então me abraçou forte e beijou minha testa sutilmente. Eu sorri. Ela conseguia despertar os sentimentos mais bonitos em meio a situações feias. Dona Ester colocou a mão em meu ombro direito, como sinal de apoio, e Duda colocou a mão sobre a da avó, e eu... Eu me senti perfeitamente acolhida.

    Fomos andando pra fora do shopping, entramos no fusca amarelo-mostarda com bancos azul-bebê de Dona Ester. Segurei firme a mão de Duda e seguimos pela avenida até avistar aquela casa azul com margaridas e girassóis na entrada.

    — É aqui? — perguntou Dona Ester.

    Fiz que sim com a cabeça.

    — Se quiser entro contigo, convenço sua tia a te tirar do castigo e tudo o mais!

    — Dona Ester é ótima pra convencer as pessoas das coisas! — falou Duda, com um bom humor que só ela tem.

    — Eu apenas dialogo com empatia — disse a avó.

    Achei que poderia ser uma boa. Qualquer coisa me parecia melhor do que entrar sozinha em casa depois de ter fugido do castigo.

    — Tia, temos visitas! — anunciei, abrindo a porta como se estivesse tudo em perfeita normalidade.

    Tia Jovalina foi andando em direção à porta segurando um bolo que parecia ter acabado de sair do forno.

    — Muito prazer, eu sou Ester, avó da Maria Eduarda. — Dona Ester tentou quebrar a tensão.

    — Entrem! Acabei de fazer um bolo de laranja e vou passar café — falou tia Jovalina, com um sorriso no rosto.

    Duda e eu nos entreolhamos sem entender nada.

    — Eu não sou o monstro que Ana Cecília deve ter descrito a vocês. Confesso que lidei da pior forma com a notícia, mas me arrependo de tê-la colocado de castigo. Existem formas melhores de ensinar — falava tia Jovalina enquanto colocava a mesa do café. — Eu sempre soube que Ana Cecília era igual à mãe e tive certeza quando ela pisou nesta casa pela primeira vez. Ela nunca me contou sobre nenhum namoradinho. E olha que eu vivia perguntando! Ficava investigando aqui e ali pra saber. Fiz isso por três anos e só agora, aos seus dezessete, tive coragem de ler as mensagens do WhatsApp.

— Por que a senhora chama isso de coragem? — interrompeu Dona Ester.

— Precisa de coragem pra ler determinados diálogos entre duas garotas — tentou explicar tia Jovalina, sentando-se à mesa.

— Pelo início do seu discurso, eu podia jurar que você estava arrependida de ser preconceituosa, mas agora vejo que não. Lamento que não consiga enxergar o amor em outras cores. — Dona Ester falou sério, mas sem perder a sutileza.

Duda fez um sinal pra que saíssemos da mesa. Peguei minha xícara de café e dois pedaços de bolo enquanto tia Jovalina e Dona Ester se encaravam atentas. Saímos devagar e depois aceleramos pelo corredor até chegar ao meu quarto. Antes de fecharmos a porta, paramos pra ouvir um pouco da conversa.

— Eu não esperava que ela fugisse do castigo, pra ser sincera. Ela nunca havia me desafiado assim. Mas quando acordei e percebi que ela havia pegado a mochila, o dinheiro, o tablet e o tênis favorito, a primeira ideia que me veio à cabeça foi ler as conversas no computador pra tentar descobrir onde, quando e com quem ela estava. Quando ouvi o áudio da senhora dizendo que estaria presente no encontro, fiquei mais tranquila, mesmo assim liguei para meu sobrinho, que trabalha num café lá no shopping, e pedi que ele ficasse

atento. Foi assim que descobrimos o quanto a senhora ama um cafezinho, hahaha! Eu sabia que Ana Cecília voltaria para casa, meu sobrinho não deixaria que ela fosse com vocês. Sabe aquele celta branco atrás do seu fusca? Meu sobrinho estava lá, ele me avisou que vocês estavam vindo pra cá.
  Tia Jovalina realmente abriu o jogo com Dona Ester.
  — E eu já estava pensando em conversar de forma mais, digamos, amigável, com a Ceci.
  — Confesso que fiquei aborrecida com o fato de você não ter procurado conversar abertamente com a Ana Cecília, achei um descaso imenso. Então, saber que você estava cuidando dela, mesmo de longe, me confortou. Agora, como você pretende ter uma conversa amigável com ela se não aceita sua sexualidade? Se não aceita o amor entre minha neta e sua sobrinha pelo simples fato de serem duas garotas, como pretende fazer com que ela te veja com bons olhos? — Dona Ester realmente sabia dialogar.
  Depois de um longo silêncio, tia Jovalina resolveu responder:
  — Sinceramente? O que eu vou fazer é convencê-la de que isso é errado. Um relacionamento entre duas mulheres nunca que dá certo! A Lola, minha irmã, se casou com uma mulher depois do nascimento da Ana Cecília, disse que amava essa moça e que também havia amado o pai da Ceci. Eu não entendo. Acho que não tem como isso ser amor de verdade. O que eu sei é que a Juliana, a moça com quem Lola infelizmente é casada, não é uma boa influência. Nem pra minha irmã, nem pra minha sobrinha. Obviamente, eu preferia que Lola tivesse casado com o pai da Ana Cecília.
  — Eu não tenho pai! — gritei pelo corredor.
  Duda parou na minha frente e pediu calma. Então respirei fundo e, chegando à cozinha, comecei a esclarecer toda a história para Dona Ester:

— O homem que tia Jovalina insiste em dizer que é meu pai fugiu quando descobriu a gravidez de mamãe. Quem sempre esteve ao lado da minha mãe, quem me viu nascer, foi a Juliana. Por isso, Juliana também é minha mãe. E eu tenho muito orgulho delas, porque nunca deixaram que nada faltasse pra mim. Sabe como, Dona Ester? Grafitando os prédios de Belo Horizonte! Mas tia Jovalina nunca aceitou esse trabalho, nem esse relacionamento. Ela se recusa a reconhecer que eu tenho duas mães. — Parei pra enxugar as lágrimas.

— Ah é? Como você sabe disso? — retrucou tia Jovalina, tentando invalidar meus argumentos.

— Minhas mães conversam abertamente comigo sobre isso, e é nítido o quanto você é preconceituosa. Você diz nunca ter entendido a bissexualidade de mamãe, mas eu sei que não foi por falta de diálogo. Você diz que precisa de coragem pra ler uma conversa de duas garotas claramente apaixonadas uma pela outra. Você não sabe o que é precisar ter coragem pra existir. O que é engolir o medo toda vez que está de mãos dadas com outra garota e passa um grupo de meninos perto, julgando com o olhar. Você disse mais cedo que não acredita que exista a possibilidade de duas mulheres se amarem, mesmo existindo um casal feliz e realizado bem embaixo do seu nariz.

Um silêncio tomou conta da cozinha, então Duda me abraçou, e isso foi o suficiente pra eu desabar em lágrimas.

Dona Ester pediu que Duda e eu fôssemos para o meu quarto e fechássemos a porta. Assim fizemos.

— Não importa o que aconteça — Duda limpava minhas lágrimas com as mãos —, sempre estaremos juntas, lembra?

O otimismo da Duda era bonito de ver, mas eu já não podia alimentar tanta esperança.

— Eu já nem sei mais o que vai ser da gente, Duda.

— Comecei a andar pra lá e pra cá. — Infelizmente eu dependo da minha tia, e ela vai fazer de tudo pra perdermos contato. Eu queria estar confiante de que vai ficar tudo bem, mas não posso alimentar isso.

Duda pegou seu celular e colocou uma *playlist* aleatória, tirou seu tênis e seu casaco pretos, sentou-se em minha cama e fez sinal pra que eu deitasse em seu colo. Eu sorri e gargalhei, parecia que nada a atrapalhava na missão de aconchegar.

Enquanto Duda acariciava o meu cabelo azul, o refrão da música tocava: "Eu disse sim, ela me disse não, eu disse sim, ela me deu a mão, rodopiou por entre os caracóis de meu cabelo e me deixou".

— Cê tá tentando dizer que vai me deixar, sem que eu fique com raiva? — falei, zoando.

— Eu tô tentando te mostrar com essa música da banda Marujos que eu não vou conseguir lutar por nós sozinha. — Foi Duda quem deixou o coração falar mais alto dessa vez.

— Quer saber? — Eu me levantei e olhei no fundo de seus olhos. — Quer saber, dona Maria Eduarda? — Duda começou a rir. — Eu digo sim, sim, sim, te dou a mão, rodopio por entre seus cachinhos, mesmo sem saber o que isso significa, e deixo essa casa toda vez que precisar. Só pra te encontrar.

Nem eu sabia que também podia aconchegar alguém como ela fazia.

— Ai, Ceci, você não existe! — disse Duda, em meio a uma risada empolgada. Todas as versões de sua voz eram boas de ouvir.

Fizemos silêncio.

"Calmaria, se ela foi embora hoje amanhã pode voltar." Parecia que as músicas ouviam nossas conversas.

— É isso — falei, enquanto acariciava a nuca raspada da Duda e fazia uma cara boba de gente apaixonada.

Ela também estava com uma cara de boba, e nos olhávamos fixamente. Estávamos pertinho e, agora, ela também acariciava minha nuca raspada, tínhamos o corte de cabelo parecido. Ela sorriu, aproximou o seu nariz do meu, o carinho mais clichê estava acontecendo.

— É isso que dá quando duas cancerianas se apaixonam — brinquei.

Parecia que ela tinha pensado a mesma coisa, porque começamos a rir. Um beijo demorado mostrou que estava tudo bem em sermos o casal mais brega de Minas Gerais.

— Posso entrar? — perguntou Dona Ester, batendo na porta, sutilmente como sempre.

Eu me sentei ao lado de Duda, ela segurou firme a minha mão e entrelaçou seus dedos nos meus.

— Pode — respondi, triste, pois era óbvio que Dona Ester já estava indo embora.

— Eu sei que não era isso que vocês queriam ouvir, mas... precisamos ir embora, né? — falou Ester, com uma cara de pena.

— Precisar, precisar, vocês não precisam, né? — Tentei convencê-la a ficar.

— Claro que precisamos. Amanhã é segunda, tudo volta à sua monotonia. Eu estou aposentada e vocês, de férias, mas Jovalina ainda trabalha e vocês duas precisam conversar.

Ela tinha razão. Duda suspirou, pausou a *playlist*. Não havia muito o que fazer, era hora da despedida. Dona Ester aproximou-se da cama e nos deu um abraço, daqueles que colocam todos os pedaços quebrados no lugar. Nos permitimos ficar ali por longos segundos, até que ouvimos um barulho na porta. Era tia Jovalina.

Ficamos nos encarando por um tempo. Ester resolveu que era melhor que ela e Duda nos deixassem a sós, então deu a desculpa de que iam se ajeitar pra ir embora. Antes que Duda fechasse a porta do quarto, puxei-a para um abraço. Parecia que nunca iríamos nos despedir o suficiente. Quando finalmente nos soltamos, fiquei observando a roupa preta de Duda em contraste com a porta branca que ela fez questão de fechar lentamente. Me dei conta de que tudo era muito sem cor naquela casa.

Assim que a porta foi fechada, me virei para tia Jovalina. Ela tinha ajeitado a cama e andava pra lá e pra cá com a mão na cintura e a cabeça baixa, como quem procurava a melhor forma de introduzir um assunto difícil. Quanto mais ela demorava, mais minha perna direita sacudia. Eu estava prestes a quebrar o silêncio quando ela desatou a falar:

— Você tem razão. Eu nunca aceitei o relacionamento da sua mãe com a Juliana e nunca quis lidar com o fato de você ter duas mães. Sabe, por muito tempo eu preferi não enxergar a possibilidade de duas mulheres se amarem. E, pior, tentei usar uma coisa tão bonita quanto o grafite, quanto a arte, pra disfarçar meu preconceito. O problema que eu via na relação delas não era o fato de elas subirem alturas pra colorir prédios, apesar de eu sentir um certo medo, o problema era por serem duas mulheres... que se amam. Eu admito que sou ignorante e que preciso mudar isso, porque... porque não quero ser sua inimiga. Não quero construir muros entre nós duas, você é a minha única sobrinha. Eu sei que sou grosseira na maioria das vezes, que sempre acordo de mau humor e quase nunca paro pra investir em nossa relação de tia e sobrinha. Você deve estar desacreditada. Mas é que Dona Ester é uma mulher muito sábia, ela me mostrou que você é uma sobrinha incrível e que a sua sexualidade não vai mudar nada em nossa relação, se eu a respeitar. Por isso, eu quero respeitar quem você é. O que me diz?

Comecei a pensar se tia Jovalina merecia mesmo a minha confiança, até que três toques na porta me impediram de chegar a uma conclusão; Duda e Dona Ester queriam se despedir. Duda e eu não fizemos questão de agilizar as coisas, enquanto minha tia e sua avó já estavam lá fora, eu e ela estávamos na sala, nos olhando fixamente, numa tentativa de gravar cada detalhe de nossos rostos, para lembrar quando a saudade apertasse. Depois de alguns segundos, que mais pareceram horas, uma lágrima escorreu pelo rosto de Duda. Percebendo isso, eu a abracei forte e de novo pude sentir o cheiro do seu xampu e me lembrar de algumas coisas. Como a primeira vez em que nos falamos pelo *direct* do Instagram, o momento exato em que nos abraçamos pela primeira vez, todos os *covers* que ela fazia e eu ouvia antes de dormir, o sorriso aconchegante que finalmente vi pertinho de mim, as risadas totalmente espontâneas, os diferentes tons da sua voz que eram muito mais bonitos ao vivo do que nos áudios do WhatsApp, os seus olhares tímidos e os seus olhares intencionalmente atraentes, os elogios que recebi, as músicas que ouvimos e os beijos, os beijos sempre demorados que contrastavam com a pressa da capital mineira.

Todos esses pensamentos foram interrompidos por uma voz meio triste e meio confusa:

— Te espero no Natal...

— Vou fazer de tudo pra que essa espera não seja em vão. — Tentei parecer esperançosa.

Senti seus dedos entrelaçados aos meus se distanciarem devagar, como se algo a puxasse pra longe de mim, contra sua vontade. Arrisquei lhe dar um beijo demorado, o último daquela noite, que nos trouxe a sensação de uma grande saudade brotando no peito. A buzina do fusca interrompeu nosso drama romântico. Tia Jovalina fez sinal pra que eu apressasse a cena, me virei pra Duda e fiz carinho em seu rosto.

— A gente se vê! — gritou Dona Ester de dentro do fusca. Duda sorriu, aí tive certeza de que tudo ia ficar bem.

Quando finalmente Duda entrou no carro e tia Jovalina começou a acenar um tchau, foi que minha ficha caiu. Eu precisava vê-la novamente. Voltamos pra dentro de casa, decidi que ia tomar um banho pra pensar melhor, e tia Jovalina concordou que era uma boa forma de colocar as ideias no lugar.

Quando senti as primeiras gotas de água caírem em minha cabeça, comecei a acompanhar a água escorrendo pelo meu corpo e mentalizei toda a raiva e mágoa que eu estava sentindo indo junto com ela para o ralo. Eu precisava perdoar tia Jovalina, era a única forma de elevar as chances de eu ver a Duda antes de terminar o ano... Faltava uma semana para o Natal. Desliguei o chuveiro e, respirando fundo, comecei a pensar em tudo que minha tia precisava saber.

Saí do banheiro com meu pijaminha com estampa de ovos fritos. Rindo um pouco do que via, tia Jovalina se ofereceu pra estender minha toalha lá fora pra que eu não precisasse sair. Então me sentei no sofá, me sentia preparada para a conversa.

— Conseguiu decidir? — perguntou tia Jovalina, me entregando uma cumbuca de sopa.

Fiz que sim com a cabeça, dei umas quatro ou cinco colheradas na sopa e comecei a falar:

— Sabe, tia, eu nunca me interessei por nenhum garoto. E olha que já tentei. Várias vezes. Mas sempre era algo forçado, e eu nunca estava feliz, juro. Já pelas garotas... me interessei por tantas! Mas nenhuma paixão ou quedinha que eu tive pelas meninas dessa cidade se compara ao que eu sinto pela Maria Eduarda. Você não tem ideia do que é imaginar aqueles olhos verdes, aquele sorriso, aquela risada gostosa e aquela voz, toda vez que eu penso em qualquer coisa relacionada a romance. Quando eu penso em um filme, uma novela, um conto, que tenha um casal romântico, eu vejo duas moças, eu e ela. E quando ela me abraça, ou me beija... eu me esqueço de qualquer coisa que esteja acontecendo ao redor. E, apesar de todos os riscos de sofrer violência que passamos quando estamos juntas, perto dela me sinto totalmente segura. Sabe o que é isso, tia? Amor. Um amor colorido, diferente do que sempre foi escrito, cantado, encenado... mas é amor. Eu sei que é! Porque aconchega, acalenta, arrepia, conforta... revoluciona. O amor revoluciona os pensamentos, os comportamentos... tira a gente da casinha, sabe? É por isso que... que você não tem que respeitar somente a mim. Porque além de mim, de Duda, de Lola e de Juliana, existem muitas outras pessoas mostrando que não há nada de errado em nossa existência. Mostrando no dia a dia, no trabalho, na escola, em casa, com os pais, com os amigos, com as avós... com as tias. — Suspirei.

Comecei a limpar meu rosto com as mãos porque, como uma boa canceriana, eu derramava lágrimas como o céu derrama chuva.

— Tenho orgulho de ter uma sobrinha inteligente que nem você! — Tia Jovalina tirou um lenço do bolso e começou a secar o meu rosto. — Estou disposta a mudar, por todos. De verdade! E não tem mais o que pensar. Amanhã ligamos pras suas mães e contamos a elas a novidade. Vamos passar o Natal em Uberlândia, na casa de Dona Ester, com a Duda... e os pais dela.

Abri um sorriso emocionado. Tia Jovalina saiu, voltou com o seu celular nas mãos. Ela então me abraçou e, sem que eu percebesse, tirou uma foto do momento. Aí, virou a tela do celular pra mim, ela havia mandado a foto do nosso abraço pra Dona Ester com a seguinte legenda:

"Dia 24 estaremos aí! E... Você estava certa. O amor é mesmo revolucionário."

\\l/ NICOLE GABRIELA DE CHAGAS

16.
Adhara

Segunda, 4 de março de 2021.
2h da madrugada. A chuva passava a ficar cada vez mais forte naquela madrugada de segunda. As janelas

do meu apartamento tremiam a cada trovoada no céu, em uma cor que, para mim, representava melancolia.

As nuvens escuras e carregadas de água deixavam tudo ainda mais triste, pois escondiam a beleza descomunal das estrelas e da lua, que naquela semana inteira seria cheia. *Algo tão belo não deveria ser ofuscado*, pensei quando espiei pela milésima vez a situação da tempestade.

Eu precisava dormir! Em poucas horas deveria estar em uma reunião e fazer uma apresentação importantíssima, a mando de meu chefe!

Trabalhava há um ano em uma editora, a Serena. Uma das mais famosas do meu estado, por isso qualquer erro poderia significar a minha demissão.

Eu tinha um costume: sempre que minha insônia não me permitia dormir, fazia um chazinho de camomila com mel e navegava pela internet até cair no sono.

Ignorei então o aviso de que meu celular precisava de mais alguns minutos carregando para atingir a carga completa. Entrei na plataforma de vídeos e pesquisei algo para me manter entretida enquanto fazia o chá. Nem me dei conta quando, meia hora depois, o cansaço já me invadia e, finalmente, caí em um sono mais profundo do que o da Bela Adormecida.

Quando o despertador tocou às sete horas em ponto, acordei num pulo, ainda cansada, até porque quatro horas de sono não mantêm ninguém em pé.

Desliguei o toque irritante e coloquei minhas pernas para fora da cama quentinha. Olhei o celular e... droga! 18% de bateria?! Ainda bem que já estava acostumada a levar meu carregador para o trabalho.

Terminei de me espreguiçar e fui tomar o café da manhã. Na cozinha simples, separada da sala de estar, preparei duas torradas e meu café com leite. Liguei a TV e percebi que passava um documentário sobre a galáxia. Achei interessante e resolvi deixar naquele canal mesmo.

Em dez minutos aprendi que a segunda estrela mais luminosa da constelação do Cão Maior chama-se Adhara. Puxa, a constelação é linda, e o nome dessa estrela, ainda mais! E... caramba, existem um bilhão de estrelas no Cão Maior! Incrível.

7h15. Precisava me arrumar logo ou chegaria atrasada. Coloquei a louça suja na pia e fui correndo para meu quarto, trocar de roupa. No meio do caminho, tirei o short do pijama para vestir uma calça capri nude, bem larguinha, e uma blusa branca simples. Acompanhadas de um salto baixo e de alguns acessórios.

Arrumei meus cabelos lisos e castanhos e saí de casa, sem passar maquiagem alguma. Não via aquilo como algo importante, mas admirava as mulheres que usavam.

    Peguei o ônibus das 7h35 e me sentei com um homem que, hora ou outra, encarava-me maliciosamente. Não é possível que em um ônibus cheio ninguém esteja vendo isso. Guardei para mim mesma os pensamentos e, em vez de arranjar briga com um cara que poderia me machucar, apenas me levantei e preferi ficar o caminho inteiro em pé, no fundo do ônibus, onde havia estudantes e algumas senhorinhas.

    Cheguei à Serena no horário certo e comecei a cumprimentar alguns funcionários do prédio com quem tinha contato.

    — Bom dia, Maria! — disse, saudando com um sorriso simpático a mulher que beirava os setenta anos.

    — Ah, bom dia, querida!

    Dirigi-me ao elevador, entrei e apertei o último andar, onde eu trabalhava.

    Assim que saí do elevador, dei de cara com um de meus amigos da editora.

    — Bom dia, Carlinhos.

    — E aí, gata! Pronta pra arrebentar na reunião? — perguntou o ruivo, com o cotovelo na mesa e a mão apoiada no queixo. Usava um blazer com bordados de rosas na gola.

    — Com certeza!

    Acomodei-me na mesa e abri os slides que tinha salvo no computador antes de ir pra casa, na sexta. Reli os textos sobre o que deveria falar e me preparei mentalmente para as perguntas que receberia.

    Quando o relógio bateu exatas oito horas, meu chefe saiu de sua sala e chamou todos que participariam da reunião. Levantei-me calmamente e, apesar de sentir o coração batendo na garganta e das mãos encharcadas, segui para a sala de reuniões. No caminho, quando olhei para o lado, vi dedos levantados para cima e sorrisos empolgados de Carlos e Beatriz, outra amiga do trabalho.

Entrei na sala e me acomodei na última cadeira, ao lado da parede com janela, que permitia a visão da cidade inteirinha diante dos meus olhos. *Uau! Que visão do paraíso!* Parei de admirar o céu e voltei o olhar para os presentes na sala e os que ainda estavam entrando.

— Isso, isso. Sentem-se em qualquer cadeira, a apresentação será rápida.

Era o Sr. Albuquerque, o chefe.

Seria? Lembro-me bem de ele pedir descrições de no mínimo meia hora.

— Bom, como eu havia falado na última reunião que tivemos, hoje a Srta. Vidal apresentará uma ideia do que podemos fazer nas próximas edições da revista *Serena*. Pode vir até aqui, Sabrina — terminou a frase indicando o lugar em que ele estava, bem em frente à TV.

Saí da cadeira, extremamente confortável, devo ressaltar, e fui até a frente da sala para iniciar minha parte na apresentação.

— Bom dia!

Algumas pessoas responderam, desanimadas.

— Bom, apesar de trabalharmos num lugar cujo nome é um adjetivo feminino, faz certo tempo que percebi que excluímos muito as mulheres. Sempre publicamos artigos em que falamos sobre temas unissex, mas, por algum motivo, os títulos têm, em abundância, a frase: "para homens". E, eu, como única mulher aqui presente, acho que deveríamos acabar com isso. Sem essa...

— Eu achei essa ideia incrível! — meu chefe me interrompeu. — A Sarah tem razão! A porcentagem de mulheres que faz a assinatura da nossa revista, seja a versão impressa ou online, é muito menor que a dos homens.

Achei magnífico que ele tenha entendido o que eu estava tentando mostrar, apesar de errar feio o meu nome.

— Deveríamos fazer artigos sobre as mulheres também. Sobre maquiagem, receitas e até mesmo colocar aquele tal de Carlos para escrever sobre moda!

— O quê? Não foi isso que eu disse! Na verdade, eu ia dizer que...

Mais uma interrupção.

— Isso! Eu também acho que deveríamos decorar as folhas conforme o gênero. Nas dos homens, bolas e ferramentas e nas das mulheres, maquiagens e bolsas!

— Eu sou mulher e não gosto dessas coisas, engraçadinho... Senhores, se vocês pelo menos me escutassem, veri... — Outra vez, ninguém deu a mínima!

— Ótimo. Parabéns pela incrível ideia, senhores!

— Oi?!

— Reunião encerrada!

Todos se levantaram enquanto gritavam e batiam palmas. Não sei se empolgados porque realmente acharam a ideia boa, ou porque só queriam sair de lá o mais rápido possível.

— Não! Eu não terminei de falar! — insisti, vendo os primeiros homens passando pela porta.

— E nem precisa, querida. Já resolvemos tudo mesmo. — disse um dos homens, batendo no meu ombro com uma força desnecessária.

Quando o último deles deixou a sala, peguei meu notebook e saí porta afora. Mais à frente, meus amigos olharam para mim entusiasmados. Esbocei um sorriso triste. Que palavras eu ia usar para contar a eles o que acontecera? "Ah, eles não me escutaram e conseguiram falar coisas mais machistas do que o normal! Mas tá tudo bem!!"? Com certeza não.

Olhei para a esquerda, na direção do banheiro feminino, e meus amigos já me olharam, os sorrisos morrendo. Suspirei.

Não quero ser julgada por não querer dar as notícias ruins para meus amigos.

Olhei novamente para eles e escolhi a alternativa que me pareceu mais fácil, coerente e madura naquele momento: correr o mais rápido possível para o banheiro e me trancar em uma cabine, tentando segurar os soluços esganiçados que saíam da minha boca.

Ah, qual é?! Aqueles homens poderiam ter no mínimo me escutado! Qual a dificuldade de fechar a matraca? Eu tinha tantas coisas inteligentes para dizer, tantas ideias!

Depois de alguns minutos, parei de chorar e me levantei do vaso, abri a porta e fui até a pia, para lavar o rosto. Assim que toda a vermelhidão foi embora, escutei alguém coçar a garganta, chamando minha atenção.

— Ahn, oi? — Era Beatriz que entrava no banheiro com passos milimetricamente calculados. — Podemos conversar?

— Oi, Bia — respondi, passando o papel pelo rosto. — Pode ser depois? Perdi muito tempo aqui dentro — justifiquei.

— Sabrina... O que aconteceu?

Em um suspiro, olhei para a minha amiga. Beatriz puxou os cabelos crespos em um coque desajeitado e seguiu em minha direção, abraçando-me.

— Você sabe que pode confiar em mim para tudo, né? — perguntou, passando a mão pelo meu cabelo. — Não vou te forçar a falar, de forma alguma, quero deixar bem claro.

— Eles interpretaram muito mal os três minutos da minha apresentação.

— Três minutos? — Bia me empurrou um pouco para enxergar o meu rosto melhor.

— Eles não me deixaram falar depois disso — respondi e dei de ombros, lutando para não deixar mais lágrimas caírem. Senti meu nariz queimar.

Ela me puxou novamente para seus braços e me permitiu ficar lá até eu me acalmar.

* * *

Nove horas depois, eu já estava pronta para ir embora. Todos os meus pertences estavam guardados na minha mochila. Despedi-me de Carlinhos e Bia, que iam ficar mais um tempo na editora, porque estavam escrevendo um artigo em dupla.

Entrei no elevador quando as portas metálicas já se fechavam. Nesse momento, o Sr. Albuquerque pediu que eu as segurasse, e eu juro que pensei muito, muito mesmo antes de atender a esse pedido dele.

— Boa noite, Sabrina — disse, me encarando, assim que entrou no elevador.

— Boa noite, senhor — limpei a garganta, desconfortável. — Anh, senhor?

—Sim? — Ele parou de olhar para a tela do celular.

— Queria conversar sobre a reunião de hoje. — Apertei a alça da mochila no meu ombro. — Vocês não entenderam a minha proposta, e eu gostaria de ter outra chance...

— Outra chance? Acredito que a senhorita já teve sua chance — respondeu ele, com escárnio. — Agora, se você não soube se expressar, o problema é só seu.

— Desculpa, como? — perguntei, assustada com sua fala. — Senhor, meu nome não pode entrar num projeto estúpido, cuja ideia não é a minha!

— Ótimo! Então seu nome não entra! — bradou o Albuquerque e saiu porta afora, transtornado. — Menina ingrata!

— Minha ideia inicial era que não houvesse distinção! — gritei no meio da recepção que, graças a Deus, estava vazia — Não aquela ideia tosca de decorar as páginas conforme o gênero.

Percebi que o Albuquerque parou para me escutar, mas assim que terminei ele saiu em direção à porta de vidro, dando pisadas fortes. *Criança*, pensei sobre o homem que já estava na casa dos sessenta anos.

Fiz o mesmo caminho para ir embora e segui para o ponto de ônibus na esquina da rua. Olhando à minha direita, acomodei-me no banco duro do ponto à espera do transporte que me levaria para casa.

Pensamentos me inundavam. Pensamentos ruins sobre como eu deveria ter desistido assim que fizeram a oferta, até porque ainda não estava pronta para ter meu nome em um artigo, né? Seria incrível se acontecesse. Mas não importava, não ia mais acontecer. Estraguei minha última chance quando, simplesmente, gritei com meu chefe naquela recepção. Zero profissionalismo. Parabéns, Sabrina!

19h47. Finalmente em casa, porém não tão aconchegante. Parecia que um furacão tinha passado por ali. Logo que abri a porta, dei de cara com a parede amarelo-mostarda que divide a sala da cozinha. Coloquei a mochila no aparador ao lado da porta e me joguei no pequeno sofá branco, no meio da sala.

Cheguei a pensar em dormir ali mesmo, sem trocar de roupa, sem comer e até sem escovar os dentes. E eu sempre faço essas três coisas quando volto do trabalho — principalmente escovar os dentes. Mas estava exausta. Tudo mudou no momento em que senti minha barriga doer e um ronco alto soar. Bufando, me levantei do sofá e fui para a cozinha. Procurei nos armários, na geladeira, e a única coisa que encontrei foi um pacote de macarrão instantâneo.

Enquanto a água esquentava, corri para o meu quarto e vesti o pijama amassado, cujas peças estavam jogadas em cantos distintos do cômodo. Tirei os brincos e os anéis, amarrei o cabelo e voltei para a cozinha. Joguei o macarrão dentro da panela.

Assim que ficou pronto, servi em um prato, voltei para a sala e liguei a TV. Durante a refeição, assisti a um desenho qualquer.

Quando acabei de comer, desliguei a televisão e fui colocar a louça suja na pia da cozinha. Preparei-me então para dormir e logo estava debaixo da coberta quentinha com estampa de nuvens.

Dia seguinte, 10h40.
— Eu não acredito que ele fez isso! — gritei, com a Bia, que estava em meu encalço. — Esse... esse velho riquinho, metido a besta! Arrrgh!
— Gata, você precisa se acalmar!
Até o Carlos estava dentro do banheiro.
A situação é a seguinte: surpreendentemente — notem a ironia — meu queridíssimo chefe escutou tudo o que eu falei ontem, absorveu a minha ideia e hoje, adivinhem só... Ele publicou um comunicado dizendo que vai atualizar a forma como fazemos a revista e assinou como se a iniciativa fosse dele! Roubou a minha ideia descaradamente. No momento em que vi a postagem dele no site, corri para falar com o Sr. Oscar Bundão Albuquerque, e ele disse que não sabia do que eu estava falando. Então, por favor! NÃO. ME. PEÇAM. CALMA.
— Como, Carlos?! Como eu vou me acalmar, se ele acabou de roubar a minha ideia, e agora tá todo mundo parabenizando ele? — Dei ênfase no "ele".
— Nós vamos te ajudar, amiga. O que ele fez não foi apenas desonesto, foi crime também! Você pode processá--lo. — Dessa vez foi a Beatriz que falou.
— Não vai dar. Ele provavelmente venceria na justiça.
— Esse maldito é podre de rico — concluiu Carlos, pondo a mão em meu ombro.
— Tá bom, tá bom. OK! Vou tornar isso público! Tem aquele cara lá, o Roberto, que sempre grava as reuniões, e tem o Seu Paulo, o porteiro, que pode passar as gravações da recepção para mim, né?
— Isso, boa ideia! Depois do expediente vamos falar com eles, só para não levantar suspeitas de que estamos tramando alguma coisa...

Seis horas e vinte minutos depois:

— Ah, qual é, Seu Paulo! — exclamei com uma expressão desanimada.

— Sinto muito, querida, mas isso vai totalmente contra as normas da empresa.

Seu Paulo deu de ombros. Eu já tinha conseguido as filmagens com o Roberto. Ele sempre filma algumas coisas para postar na revista online, por conta própria, mas é claro que o meu vídeo ele não tinha postado. Provavelmente, o velho não deixou.

— Paulo, eu juro que não falo para ninguém! Mas isso é muito importante para mim! — justifiquei, prolongando a última vogal.

O senhorzinho suspirou e, antes que eu implorasse mais, me passou um pendrive com a data do dia anterior escrita em uma fita crepe.

— Não conta pra ninguém, hein? — pediu Seu Paulo, fingindo que estava vendo algo na tela do computador. — Tá me devendo essa, mocinha.

— OK, Seu Paulo! Ai, o senhor é o máximo! — Pulei nele para abraçá-lo e dei um casto beijo em sua bochecha.

Paulo é casado com a Dona Maria há quase quarenta anos, e os dois sempre foram uns fofos. Desde que comecei a trabalhar na Serena, eles me tratam com muito carinho.

Depois de conseguir o segundo e último vídeo, o próximo passo era manter a calma. Sim, irônico para alguém que está tramando um plano mirabolante para desmascarar o chefe. Mas não adiantaria fazer tudo na pressa.

Eu iria para casa, planejaria o artigo para ser publicado no portal da Serena, publicaria só no próximo dia e esperaria o parquinho pegar fogo.

Dito e feito. No momento em que cheguei ao apartamento, fui correndo para o meu quarto preparar o texto:

"[...] Eu, como funcionária da Serena, sinto-me na obrigação de expor os atos de outros funcionários, e até mesmo do chefe, para assim deixar nossos assinantes a par da situação. Algo que prezo muito é a honestidade, coisa que nosso querido chefe não está tendo [...]"

Quando o texto ficou pronto, guardei o rascunho no bloco de notas do computador e o coloquei dentro da mochila. Faria a publicação no trabalho, para ninguém desconfiar. Ninguém mesmo.

Fui dormir já ansiosa com o que o próximo dia me reservava.

Quarta-feira, 15h

Faltavam apenas quatro horas para o expediente acabar. Sabe o que isso significava? Botar o plano em prática, "recuperar o brilho da estrela", como disse a Bia. Abri calmamente meu notebook, com o olhar vidrado dos meus amigos em cima de mim. Isso porque ainda pedi que eles fossem discretos. Entrei no portal e coloquei minha senha de funcionária para ter acesso aos meus artigos passados. Cliquei em "escrever" e depois, Ctrl+c e Ctrl+v. Embaixo do texto, deixei os vídeos como prova de que tudo que eu escrevia era verdade.

Publicar? Sim [ ] Não [ ]

Enviando...

Enviado com sucesso!

Estava feito. Não tinha mais volta. Agora era pegar um café, colocar meus lindos pés em cima da mesa e esperar.

Logo se ouviu um som gutural vindo da sala do chefinho. Um grito tão assustador que balançou as janelas do prédio empresarial. Em seguida, um barulho de algo sendo jogado no chão e quebrando em várias partes. Era o próprio computador do chefe.

Apreciei a visão que as paredes de vidro me proporcionavam: Oscar estava furioso! Encarava a mesa de madeira escura com o rosto vermelho e os olhos arregalados, tentando retomar a respiração ritmada. Olhei para os meus amigos, eles olharam para mim e voltamos todos a olhar para aquele escritório.

Em menos de dois segundos, percebi que todos os meus colegas me encaravam. Alguns com olhar confuso, outros com admiração e outros ainda como se estivessem me repreendendo.

Senti-me como a Regina George andando pelos corredores da escola em *Meninas malvadas*. Com todos aqueles olhares em mim, mas sentindo orgulho de ter desafiado aquele homem. Parecia realmente uma cena de filme.

Tudo ficou melhor ainda quando vi o Oscar levantar-se com a força do ódio, chegando a derrubar a cadeira. Dirigindo-se à porta de vidro, ele colocou as mãos na cintura, e seu olhar me fuzilou mas eu agora exibia um sorriso divertido nos lábios. Ah, doce vingança...

— Sabrina! — gritou Oscar.

— Sim, chefe? — Algumas risadas se ouviram, e isso só serviu para irritar ainda mais o homem.

— Na minha sala! Já!

Eu me levantei da minha cadeira azul, peguei meu notebook e fui. Quando passei por ele, fiz questão de empinar bem o nariz. Me sentei na cadeira giratória que ficava diante de sua mesa, porém, quando percebi que ele não iria se sentar e que continuaria atrás de mim, virei-me ainda na cadeira e o encarei.

— Então... Acho que nós dois sabemos o porquê de tudo isso estar acontecendo — falei, e cruzei as pernas.

— O que você quer? — Ele desencostou da estante e deu um passo para a frente. — Dinheiro? Isso não é problema para mim.

Ri de sua fala.

— Dinheiro? Ah, não. Eu não quero dinheiro, quero o meu artigo de volta. Eu me levantei.

— E como você quer que eu faça isso, sua tola? Eu já publiquei.

— E eu também já publiquei o meu. Tudo se trata de negócios, Oscar. — Dei a volta na mesa, virando para ele o meu notebook que eu tinha levado até lá, já que o dele estava jogado no chão. — Você troca o seu nome pelo meu, e eu, talvez, apague o artigo em que falo de você.

— OK, vou fazer isso. Agora saia. — Oscar apontou para a porta.

— Nem pensar. Eu quero ver você fazendo a troca, só assim o acordo vai valer.

Meu chefe se aproximou da mesa e, na minha frente, fez o que eu pedia.

— OK. Agora tem outra coisa que eu preciso te falar... — Segui em direção à porta e fiquei parada em frente a ela.

— O quê?

— Er... Bom, eu estou me demitindo. — Com uma piscadela, saí de sua sala.

Fui até a minha mesa e guardei todos os meus pertences em uma caixa de papelão, que sempre ficava perto de mim. De novo tive a sensação de estar sendo observada e, mais uma vez, não era coisa da minha cabeça.

— Ei! — Carlos me chamou. — O que aconteceu, menina? O cara tem fumaça saindo pelas orelhas — comentou, rindo, ao observar o velho andando de um lado para o outro.

— Depois mando mensagem para vocês. Tudo que eu posso dizer é que eu me demiti. — Meus amigos acompanharam minha risada.

Saí do prédio o mais rápido possível, antes que o Oscar me avistasse conversando com os dois e acabasse sobrando para eles. Sentia como se um peso tivesse sido retirado das minhas costas. Agora eu não precisava me preocupar se seria demitida por qualquer erro bobo. Era muita pressão! Tudo bem, eu entendo que agora estou desempregada e sem ninguém para me sustentar. Sou independente, e isso até que é uma coisa boa. Ser independente. Será que eu entendia a seriedade disso? Não me arrependo de ter pedido demissão, lógico que não, mas o que eu ia fazer? Semana passada tinha aparecido uma goteira no meu apartamento e... Ah, quer saber? Estou pensando muito. Eu estou livre daquele pé no saco! Poderia até mesmo pintar o cabelo de verde neon para mostrar quão livre e feliz eu me sentia.

Tudo que eu precisava era respirar um pouco e só depois pensar na próxima fase. Vai ficar tudo bem. Eu sei que vai. Não sou de desistir fácil. Só precisava manter a calma.

Quarta-feira, 20h

— Você, basicamente, agiu como se fosse o Rick Harrison em *Trato feito*! — comentou Beatriz empolgada. — "Tudo se trata de negócios, Oscar" — disse, fazendo uma imitação barata de mim.

— É verdade, é verdade. — Carlos ria escandalosamente.

— E que história é essa de "acho que você já sabe o porquê disso"? Você, por acaso, era uma corna se vingando do ex? — Ele continuou rindo e colocando mais um sushi na boca.

— Já entendi! Foi bem ridículo, mas, pelo menos, eu consegui o que queria. — Roubei um temaki do prato da Bia, recebendo um xingão por isso.

Estávamos em um restaurante japonês comemorando a minha demissão. Como prometido, contei tudo que aconteceu, e a reação deles foi bem o que eu esperava. Ambos zombaram da minha, vejamos, finesse de "voz-de-homem-do-século-18-que-usa-monóculo"? É, por aí.

— Sabe, eu tava pensando, né? — disse Beatriz. — Você faz ideia de como vai arranjar grana?

— Não. — Roubei mais um temaki. — Por quê?

— Dá pra parar, caramba? — Beatriz afastou o prato de mim. — Tem no teu, sua ladra!
— O teu tá melhor. — Dei de ombros.
Carlos coçou a garganta:
— Continuando... E se você criasse sua própria revista online?
— É uma boa ideia — respondi, mastigando um sushi.
— Tá, é uma ideia incrível! Quando eu chegar em casa, vou procurar meus artigos não publicados. Já é um começo.
— Isso, amiga — incentivou Bia.

Duas horas depois
Enfim, em casa. A primeira coisa que eu fiz foi fuxicar a parte de cima do meu armário, para procurar os tais dos meus artigos. Achei uma pasta sanfonada cheia de figurinhas e, ao lado desta, uma pasta simples vermelha. Minhas preciosidades.
Agora era hora da ação. Criar o portal, a parte mais fácil, e passar alguns artigos a limpo. Claro, também não poderia me esquecer da introdução. Eu me apresentaria, porém, não comentaria nada sobre o motivo, ou até mesmo o fato, de ter pedido demissão.
Qual será o nome do meu site? Ah, droga! Hum... Talvez "Estrela"? Não, não. Muito solto. Brilhante? Nossa, não. E, que tal... Adhara! A estrela do programa de TV! Meu Deus, sim!

Seis horas depois
Foram muitas horas acordada, fazendo a divulgação do site num conjunto de meios de comunicação. Carlinhos e Bia ajudaram nessa parte, na minha introdução no próprio portal, e também passaram alguns artigos para postar no meu site.
Que sensação boa poder dizer isso: é o meu site, o meu sonho! É a minha Adhara! Não existem palavras para explicar o que eu estava sentindo, um misto de sentimentos tão bons!

Não vou negar, assim que caiu a ficha, fiquei desesperada pelo mesmo motivo que agora me faz ficar feliz. É um site só meu! Como... como cheguei até aqui? Será que foi só porque eu tive um surto de coragem para enfrentar meu chefe, ou será que isso sempre esteve marcado nas estrelas?

Agora eu estava ali, quase seis horas da manhã, sem conseguir pregar o olho uma única vez, mesmo com o trabalho já feito. Estava apreensiva com o que os outros iriam dizer. Será que eu deveria apagar esse site e fingir que nada nunca aconteceu? Não, não deveria. Não poderia estragar essa chance, porque essa, sim, é uma chance válida!

Em menos de 24 horas, o portal já havia recebido duas mil visualizações, e a cada hora que passava, chegavam notificações de que esse número só crescia, consequentemente aumentando o número de assinantes. Isso era tão assustador e tão incrível ao mesmo tempo!

Alguns dos meus ex-colegas já haviam me parabenizado nas redes sociais. Meu ex-patrão? Nem sinal.

Seu Paulo e Dona Maria viriam me visitar mais tarde, acompanhados dos meus amigos, para irmos comemorar mais um pouco. Pensei que dessa vez nem um chá de camomila me acalmaria...

Pela primeira vez na minha vida, parecia que as coisas estavam começando a dar certo! E o melhor: com algo que eu fazia com amor! Com muito gosto e muito orgulho.

Até porque o importante não é se sobressair. Eu sei e sempre vou saber que editoras maiores que a minha vão existir. Entretanto, não vejo problema nenhum em ser a segunda, terceira ou até a última estrela mais brilhante. Contanto que me deixem brilhar também.

ALICE SILVA DOS SANTOS

17.
Sororidade de uma noite de verão

Lá estava ela: alta, graciosa e decidida. Aparentemente *decidida* a acabar de vez com meu relacionamento. E eu, uma pobre garota de 1,60 de altura, sem nem um toque de graciosidade, não poderia fazer nada para impedi-la.

— Não vai entrar? — perguntou Erasmo, bagunçando seu cabelo loiro.

— Tenho alergia a mar. — Contei uma mentira para encobrir o verdadeiro problema. Eu tinha alergia à Luísa. Luísa Cabral.

— Um dia desses você estava...

— As coisas mudam, Erasmo! — respondi, tentando dar fim àquele interrogatório.

— Se você diz... — Erasmo enfiou uma batata chips na boca e em seguida se sentou ao meu lado na canga. — É por causa do Fernando?

— Nem tudo é sobre o Fernando — declarei secamente, indignada por ele achar que, em pleno século 21, minha vida girava em torno do meu namorado. — Não pode simplesmente me deixar aqui pegando um sol em paz?! — Aham, sei. O mala do seu namorado parece estar se divertindo pelo menos... com a minha *peguete*. — Ele apontou para Fernando, que estava brincando de guerrinha de água com sua nova amiga.

— O "mala do meu namorado" te chama de melhor amigo, então já percebi que ele tem dificuldade de discernir pessoas com más intenções — respondi, sem papas na língua. — Mas isso realmente não te incomoda?

— Não mesmo, gatinha... Assim eu posso aproveitar um pouquinho da sua companhia. — Erasmo tinha um sorriso malicioso em seus lábios. — Poderíamos até fazer um *replay* e tal.

— *Replay* e tal? — Eu não podia acreditar no que estava ouvindo. — Você sabe muito bem que aquilo foi o maior erro da minha vida. Eu estava fora de mim.

— Maior erro da sua vida? Nossa, não precisa ser tão dramática. Já entendi que hoje você não tá pra conversa, mas... — Ele então se deita ao me lado, acariciando a minha perna. — Saiba que podemos fazer aquilo que não precisa de comunicação quando perceber que o Fernando não tá nem aí para você, *baby*.

Revirei os olhos. Eu me levantei depressa e fui para o mar. Não conseguiria olhar para a cara daquele tarado por mais nem um minuto sem cometer algo de que me arrependesse pelo resto da viagem. Não podia estragar a primeira vez que acampava.

— Ué, achei que fosse alérgica! — ele zombou, parecendo deixar de lado todos os limites e escrúpulos.

— Você me enoja! — gritei, mostrando-lhe o dedo do meio, antes de me atirar na água.

Erasmo era um dos mais antigos amigos de Fernando e em quem ele tinha mais confiança, por mais hilário que aquilo soasse. E, em qualquer oportunidade, Erasmo me

rondava e dizia coisas como aquela, me desrespeitando de todas as formas possíveis.
Eu sabia que precisava desabafar com alguém. E sabia que Fernando precisava saber, por ser o enganado da história, mas, toda vez que a coragem me vinha, ia embora instantaneamente ao lembrar que ele também seria o que sairia mais magoado disso tudo. E uma parte de mim questionava em quem ele acreditaria no final.
Abracei Fernando de surpresa, ainda debaixo d'água. Devo tê-lo assustado, porque ele se afastou bruscamente. Dei uma risada alta e quando percebi que a risada da Luísa, ou melhor, da *ladra de namorados*, acompanhava a minha, parei no mesmo instante.
— Que susto, merda! — Fernando, como uma criança, berrou zangado. Como ficava bonitinho quando fingia ter raiva.
— Eu percebi! Você é um medroso... — falei, repetindo o gesto. Tudo bem que talvez estivesse fazendo aquilo de propósito, para provar alguma coisa... Tá, talvez estivesse mesmo tentando marcar território ou algo do tipo.
— Eu sou cardíaco, Helena! Podia ter me matado, sabia? Estamos no meio do nada, levaria horas para chegar em algum pronto-socorro!
— Bom, então teríamos que te jogar no mar e esperar os peixes te devorarem... — A voz suave de Luísa ressoou pela primeira vez durante a conversa. — Mas fica tranquilo, Fê, valeria a pena, porque sua reação foi muito engraçada.
Deixei um riso escapar, mas me repreendi no segundo seguinte. Era Luísa Cabral! Não tinha como aliviar, agora que o perigo em pessoa havia invadido meu território. Eu precisava estar pronta para a guerra!
Mais tarde, eu e ela ficamos a sós, e eu já estava pronta para pôr em prática tudo que eu tinha ensaiado milhares de vezes. Aquela era minha melhor e talvez a única

oportunidade de esclarecer as coisas. Então juntei toda a minha confiança e lá fui eu:

— Eu... — comecei. "Não estou feliz com sua proximidade do meu namorado", era o que eu deveria ter dito.

— Você...? — Ela me olhou, curiosa.

— Gostei do seu biquíni... — Droga! Por que era tão difícil esclarecer as coisas?

Um silêncio se instalou mais uma vez entre nós enquanto observávamos os meninos jogarem altinha.

— Você... — "... precisa parar de sabotar o meu relacionamento!", pensei. Mas acabei dizendo:

— ... conheceu Erasmo como? — "Em que esgoto o encontrou?", eu quis emendar.

— Faculdade. A gente se encontrou por lá. Ele está no terceiro período de Educação Física, e eu no quarto de Odontologia. E, sim, sou uma "loira da Odonto" e tudo o mais. Pode zombar se quiser... — Ela cruzou os braços como quem estava pronta para ouvir qualquer outra piadinha. — Eu realmente gosto do que faço.

Sorri diante da sinceridade dela. Como era irritante o fato de ela ser tão aberta! Era tão bonita, se pelo menos tivesse uma personalidade horrível, facilitaria minha vida.

— Por quê? Quero dizer, tem algum motivo específico ou você um dia acordou com vontade de cuidar de cáries e mandar as pessoas usarem fio dental? — Tentei puxar assunto. E como eu era péssima nisso!

Ela rangeu os dentes e pareceu hesitar um pouco antes de responder:

— É, acho que a segunda opção.

O clima ficou tenso. O sol esquentava de maneira insuportável, e eu pensava em algo estratégico que me fizesse parecer menos idiota. Entretanto, ela se levantou da canga e disse que ia jogar um pouco com os meninos, antes de irmos embora.

— Era só o que me faltava... — murmurei, quando ela já estava distante o suficiente. E se aproximava amigavelmente, mais uma vez, dos meninos e daquele que há cinco meses pedira minha mão em namoro. E adivinha? Jogava melhor que todos eles.

* * *

— Que lugar é esse que nunca chega? — reclamei no dia seguinte, enquanto caminhávamos há mais de meia hora por uma trilha aparentemente infinita. Meu péssimo condicionamento só piorava as coisas. Meu corpo parecia prestes a declarar atestado de óbito, e quase dava para escutar minha panturrilha pedir socorro a cada passo. Assim é a morte?

— Bem, acho que estamos próximos — disse Luiz. Mas também era possível escutar o desespero oculto de sua voz.

— Acha?! — exclamou Fernando, indignado.

Luiz engoliu em seco. Abriu seu mapa, que tinha o tamanho triplicado de seu rosto, e colocou-o diante dos olhos, fingindo entender o que estava escrito. Eu não estava surpresa, já que ele era o mais atrapalhado de nós. Ele até tentou colocar a culpa no mapa, que parecia estar em grego, mas nada que ele dissesse mudaria o fato de que estávamos perdidos. Perdidos no meio do mato, sem água ou comida.

— Estou me sentindo a própria Dora Aventureira — murmurei.

— Aliás, alguém aqui tem medo de cobra? Porque eu ouvi boatos de que... — Era Carlos, que se achava o piadista do grupo, rindo como se houvesse alguma graça naquilo. — Estou brincando. Aqui no máximo vai ter uns mosquitos dos infernos.

Fernando apenas comentou que, se Erasmo não tivesse ficado na barraca por conta de uma suposta dor de cabeça tremenda, saberia o que fazer. Sim, Fernando, ele e seus dois neurônios nos salvariam. Tive vontade de dizer, mas resisti.

Distraída com meus pensamentos sombrios sobre formas de assassinar Erasmo sem que ninguém do acampamento percebesse, cometi o deslize de pisar em falso. Grunhi e me segurei em um tronco de árvore para não cair e piorar as coisas. No entanto, foi só dar o próximo passo para literalmente gritar de dor.

— O que aconteceu? — Luísa mostrou preocupação.

— Nada, acho que só machuquei meu pé um pouco, mas vamos continuar, está tudo sob controle.

Depois de mais um passo, gemi de sofrimento.

— Você não está em condições de andar. Melhor ficarem aqui enquanto buscamos ajuda, meu bem — disse Fernando, referindo-se a mim, enquanto Luísa mexia no meu pé de maneira irritante, como se entendesse alguma coisa de Medicina. Fernando beijou minha cabeça antes de sair com os outros dois em busca de ajuda.

— Acho que você torceu o tornozelo — afirmou Luísa, ainda observando minha perna machucada.

— Achei que você estudasse Odontologia, não Medicina.

Dei de ombros e revirei a perna, em busca de uma posição suportável. Devo tê-la ofendido, pelo olhar fuzilador que recebi.

— Quer saber o real motivo? Tudo bem! Meu pai era dentista. E mesmo sendo suspeita para afirmar isso, era o melhor do mundo inteiro. Além de excelente profissional, era também uma pessoa admirável. Acho que tenho tanta vontade de seguir essa profissão para herdar uma parte dele, já que biologicamente ele não era meu pai. Meu pai biológico era algum safado que engravidou minha mãe e nos abandonou. Espero que, de alguma forma, eu me torne um por cento do que o homem que me criou foi.

— Eu... não fazia ideia. Sinto muito. — Eu me senti muito mal ao ouvir aquelas palavras. Não sabia a dor que era perder alguém tão próximo e muito menos entenderia o vazio que isso deixava.

— Ele também me ensinou que nunca devemos tratar alguém com indiferença, como você está fazendo desde que chegamos aqui. Por que implica tanto comigo? — perguntou, por fim, parecendo não aguentar mais aquilo tudo. — Nós nos conhecemos há três dias e me despreza? O que eu te fiz? Sério.

— Está brincando? — debochei. — Três dias? Não lembra mesmo de mim.

— Deveria?

— Estudamos juntas no fundamental. Nunca chegamos a nos falar, mas te conheço como a palma da minha mão, Luísa Cabral. Você sabe muito bem o que ainda não fez, mas está prestes a fazer! Quer tirá-lo de mim.

— Tirar quem de você?! — Luísa pensou por um momento. — O Fê? Até parece! Por que você pensaria isso? E quem sou eu para "tirar" alguém de alguém?

— Acho que esse "Fê" já diz tudo. Você vive dando em cima dele descaradamente! Até me surpreende não ter ido atrás dele agora, que não posso me defender, para ter um momento a sós.

— Somos amigos. Sabia que pode existir amizade entre pessoas de sexos opostos? — zombou ela. — Você tá viajando! Além disso, mesmo que estivesse rolando alguma coisa, você tem que cobrar fidelidade dele. *Ele* é seu namorado.

— Você se joga nele o tempo todo! Como fez com Mateus. E olha que coincidência, nós terminamos!

— Mateus? Espera aí... — Ela gargalhou, me deixando com cara de tacho. — Mateus Nóbrega? Caraca, Helena, isso faz séculos! Eu nem me lembrava.

— Ah é? Pois eu me lembro como se fosse ontem.
— Foi no sétimo ano! Você guardou mágoa desde aquela época? Éramos crianças.
— E você não parece ter mudado muita coisa. Você e seus shorts curtos não me enganam, Luísa!
— O que está tentando dizer?
— Estou dizendo que você é VULGAR. — Eu me arrependi assim que a frase saiu da minha boca, mas não pretendia baixar a guarda.
— Oras, e você é a droga de uma machista, isso, sim!
— Eu não sou machista! — Me defendi daquele absurdo. — Nem mesmo me depilo! Quer ver?

Luísa começou a rir de nervoso, como se tudo aquilo fosse muito surreal. Mordi o lábio e tentei me recompor.

— Não foi o que eu quis dizer. Eu só... não estou confortável com essa situação toda. Você aparece do nada e tem mais intimidade com meu namorado do que eu consegui nesses últimos tempos. É tão bizarro. Quando eu tenho ciúmes, eu fico um pouco...

— Machista?

— Irracional — completei, suspirando. — E tenho atitudes machistas também, admito. É que você é tão mais bonita e tão mais legal que não vejo motivos para que ele me escolha. Sempre foi assim.

— Se você não tiver segurança de si mesma, não há relacionamento que lhe traga isso, Helena. — Luísa se aproximou, ajeitando um fio de cabelo que estava no meu rosto.

— Você diz isso porque não tem defeitos, olha só pra você... Se tivesse meu corpo, minhas cicatrizes, certamente também se sentiria impotente como me sinto agora.

— Sobretudo nós, mulheres, de todos os tipos, nos sentimos sufocadas por esses padrões de beleza, mas temos que buscar então ver a nossa própria beleza antes de tudo, antes de nos importarmos com qualquer outra opinião.

Assenti, esperando que ela continuasse. E ela continuou:

— Nós procuramos defeitos, o que mudar em nós mesmas para nos sentirmos completas, mais parecidas com "fulana de tal", que se adequa melhor ao que a sociedade afirma ser o modelo ideal, a perfeição em forma de mulher. Mas isso não existe. Mulheres são reais. Temos defeitos, que nem são defeitos. Costumo chamá-los de "detalhes visíveis". E, sabe, tá tudo bem ter esses "defeitos"! Entende o que quero dizer?

Eu entendia. Na verdade, buscava entender na prática havia muito tempo, já que, por mais que tentasse e recomendasse amor-próprio para todos, poucas vezes o havia experimentado.

— E sobre você me culpar por algo que estava somente na sua cabeça devido à sua insegurança e baixa autoestima...

— Olha, eu...

— Deixa eu terminar. Sobre isso, enquanto você pensa sobre o feminismo e o que te leva a decidir tomar seu corpo como seu e se permitir ter pêlos sendo uma mulher, algo estranhamente amedrontador para tanta gente, comece a repensar sobre o que o feminismo nos ensina e você vai achar uma palavrinha importante: sororidade.

— Já ouvi falar — admiti, um pouco envergonhada de minha ignorância.

— É sobre mulheres apoiando mulheres. Não devemos ter as outras como inimigas, porque é exatamente como sempre somos colocadas: como rivais, competidoras. Eu não quero brigar com você por um cara, Helena. As duas sairiam perdendo. Eu não quero que você me culpe porque hipoteticamente eu seria a "amante" e você a "fiel", e essa é a tradição. Quero que possamos nos unir, porque juntas somos mais fortes.

Luísa fez uma pausa para observar se eu estava absorvendo tudo o que ela me falava, e sim, mesmo que fosse muita informação, eu estava compreendendo cada palavra.

— Sei que estou falando pelos cotovelos, mas sinto que você precisa disso. Cara, você precisa cair na real! Você tem que se valorizar, mulher!

O jeito que ela pronunciou a frase me fez rir, dessa vez sem me sentir intimidada.

— Você é muito mais do que a namorada do Fernando e sabe muito bem disso. Não adianta fingir ser livre e feminista, porque você até pode convencer alguém, mas nunca a si mesma de que tem seu próprio valor.

Pude sentir aquelas palavras me atravessarem como uma lâmina e aquela clássica lâmpada se acender sobre minha cabeça, como nos filmes. Tive uma epifania. Era o que eu precisava ouvir. Isso que nunca me foi ensinado e que sempre deveria ser ressaltado. Lágrimas pediram passagem e não as impedi. Não chorava por ter perdido a discussão ou por medo de perder Fernando, mas por finalmente ter descoberto o verdadeiro feminismo.

— Obrigada por isso, Luísa. — Abri um sorriso.

— Não tem de quê. — Ela suspirou. — E, aliás, seu sorriso é lindo. Deveria deixar as pessoas terem o prazer de vê-lo mais vezes.

Os meninos chegaram um pouco depois, acompanhados de um guarda-florestal que nos levaria de volta. Apoiada em Fernando e Luiz, voltei mancando até a nossa barraca. Eu e Luísa nos mantivemos caladas durante todo o percurso. Fernando estranhou e perguntou o que havia acontecido, mas eu respondi apenas que tinha acordado para a vida, o que fez Luísa exibir uma expressão de vitória em seu rosto.

Mais tarde, quando o sol já havia se posto e as estrelas começaram a iluminar o céu, a vida me enganou me fazendo achar que tudo ia ficar bem. Estava feliz e livre de tantas paranoias, mas quando ouvi a voz de Erasmo ressoar sobre a minha cabana percebi que ainda havia mais coisas por vir.

— Cadê todo mundo? — perguntou ele, entrando sem ser convidado.

— Foram acender uma fogueira, não poderia ser tão perto das barracas por precaução. Você estava dormindo, então preferiram não te acordar...

— E por que não foi com eles? — perguntou, me lançando um olhar malicioso.

— É melhor eu descansar, torci o tornozelo hoje de manhã, na trilha...

Encarei Erasmo esperando que se retirasse, mas ele não pretendia ir embora, então quase implorei:

— Saia. Por favor.

Ele negou com a cabeça e se aproximou com o mesmo sorriso doentio nos lábios.

— Sai agora daqui! — repeti, mas foi em vão.

Meu impulso foi o de empurrá-lo com todas as minhas forças para longe, mas isso não foi suficiente, porque ele me agarrou violentamente. Eu gritei, me debatendo, enquanto ele abria o zíper da calça. Sabia que ninguém ia me ouvir. Veio um sentimento de desespero por saber que nada poderia evitar o que estava prestes a acontecer. Nada poderia ser pior do que isso.

— Eu sei que você quer. Não adianta fingir. Aconteceu na festa, era só questão de tempo até a gente repetir — disse ele. — Seu namoradinho não tá aqui. Nem ninguém. Sorte a nossa...

Uma onda de alívio percorreu meu corpo quando as palavras que saíam de sua boca imunda se transformaram em um grunhido, e seu tesão virou dor, pois Luísa o havia atingido na cabeça com uma garrafa de vidro. Eu ainda estava paralisada quando ela me abraçou, tremendo.

Permanecemos assim por alguns segundos, sem dizer nem uma palavra sequer.
Luísa se aproximou de Erasmo e verificou sua pulsação. Para sua sorte, ele estava vivo. Mesmo que uma parte de mim desejasse a morte de Erasmo depois do que ele tentou, não queria que Luísa sofresse as consequências de um ato que cometera somente para me salvar das garras dele.
Acionamos a polícia, depois de muito procurar sinal de celular naquele matagal. Quando Erasmo acordou, já estava amarrado. Gastou seu tempo xingando a mim e a Luísa diversas vezes, mas quando os policiais chegaram, ele foi levado à delegacia em silêncio.
Fernando estava sem palavras. Ou era o que eu queria acreditar. Não tocou muito no assunto, não fez muitas perguntas além da clássica: "O que aconteceu?"
Nem mesmo um "Você está bem?" ou qualquer outro consolo que ele poderia minimamente me dar. Luísa apenas disse que na maioria das vezes não se podia confiar em homens, e eu não fui capaz de contrariá-la depois daquele episódio, que me atormentou diversas noites, me tirando o sono e me inundando com lágrimas.
Um tempo depois, recebi uma ligação que me partiu o coração. Mas o que era o coração para quem já havia desmoronado de vez? Já estava... fragmentada. Fernando só estava revirando os estilhaços que restaram de mim.
— Alô?
— Oi... — Era ele. — Desculpa não ter falado nada antes. Não sabia o que te dizer. Falei com Erasmo, ele me esclareceu as coisas.
— Fernando — falei, indignada —, ele tentou me...
— Eu sei que vocês tiveram um lance, e agora tudo faz sentido. Por que não me contou? Você entende a posição em que me colocou? Merda! Eu o conheço toda a minha vida, e você agora é quase uma estranha para mim. Eu realmente não sei em quem acreditar.

— Foi em uma festa, antes mesmo de eu conhecer você... O que isso tem a ver? Não muda o que aconteceu naquela noite. Ele poderia ter feito algo muito ruim comigo se Luísa não tivesse chegado a tempo, e tudo o que importa para você agora é o que aconteceu anos atrás?

— Vocês tiveram um passado juntos. Quem garante que não tinham um presente também?

— Eu — respondi, mas minha voz já vacilava em meio às lágrimas. — Eu garanto. Digo para você, direi para o juiz e para mais quem quiser ouvir a verdade. Não vou me calar.

— Não fala merda, Maria Helena! Não se vitimiza agora. Eu sempre senti que você dava mole para ele, mas achei que era coisa da minha cabeça. Aturei por meses esse papo de feminista, mas agora deu para mim. Assume seus erros!

— Erasmo tentou me estuprar. Ele é um estuprador. Você é amigo de um estuprador, e aparentemente vai continuar sendo, já que não é tão diferente dele. Adeus, Fernando.

Livrei-me de Fernando, posso dizer com convicção, e fiquei até grata por não perder mais tempo com alguém que claramente não se importava comigo. Ganhei Luísa, em compensação, que se tornou uma pessoa muito especial para mim, me salvou de tantas formas possíveis. Nos vemos toda semana. Compartilhamos muitas coisas, desde pensamentos até o mau gosto para homens. Ela me ajudou a voltar a ser quem eu era, e até mais que isso, a evoluir como pessoa. Pude me recompor graças à nossa união, e entendi o que ela quis dizer quando disse que assim seríamos mais fortes.

No entanto, o melhor aconteceu meses depois. Em um dia normal, quando tudo já havia se estabilizado, Erasmo foi preso. Percebi quão privilegiada sou em meio a tantas mulheres que passaram pelo mesmo e não conseguiram justiça. Finalmente eu estava livre de todos os sentimentos ruins que me importunavam. Superei o pior dia da minha vida. Nunca iria esquecê-lo, mas agora poderia viver o resto dos meus dias sem medo. Tomei um banho mais longo do que o normal. Cuidei de mim, da minha pele, deixei a água fria expulsar o que não me pertencia.

Então me vi no espelho embaçado do banheiro e suspirei, entre surpresa e aliviada, com a imagem recém-descoberta de mim mesma. Depois de tanto me observar, naquela projeção imperfeita, me percebi em detalhes visíveis, e também nos inescrutáveis, aqueles que somente eu poderia enxergar.

Passei a me ver como realmente era: inabalável. Senti-me forte, tão forte quanto tantas outras mulheres que eu admirava por suas conquistas. Senti-me autossuficiente e já não necessitava de alguém para me sentir amada. Agora *eu* me amava e ninguém poderia me deter. Tinha enfrentado, todos os dias, palavras que machucam a alma, atos ainda mais cruéis vindos daqueles que me desdenhavam, e ali estava, de pé, pronta para acordar no dia seguinte e viver tudo de novo.

Seja você também uma menina que escreve

Este livro foi impresso pela
Assahi Gráfica em papel Pólen Soft 80g
na primavera de 2020, na cidade
de São Paulo.
Foram usadas as fontes
Active e The Antiqua na
composição de títulos e textos.